ALEXANDRU CHERMELEU

RAI ȘI IAD ÎN IUBIRE

EDIȚIE SPECIALĂ

Exercițiu de sinceritate

Să pornim de la titlu! De ce o scriere cu un titlu care preia o metaforă biblică? Ne naștem din iubire și suntem trimiși pe pământ să iubim, să învățăm să iubim și să dăm mai departe ceea ce am înțeles noi din viață. Starea de îndrăgostire este aproape de nedescris în cuvinte. Pentru omul credincios ea se poate compara cu raiul promis de textele sfinte.

Căci cum altfel am putea numi iubirea împărtășită decât raiul pe care ni-l dorim cu toții, îl purtăm în suflet, tânjim cu ardoare după el și credem că l-am găsit atunci când ne îndrăgostim. Și poate chiar am ajuns să gustăm din beatitudinea cerească, să ne predăm cu totul stării de grație pe care se spune că nu ți-e dat s-o trăiești decât rareori sau chiar o singură dată. Este o stare pe care, ceea ce numim noi timp, nu o atinge, nu degeaba se spune: „simți că plutești sau iubirea îți dă aripi, te înalță și te transformă”.

Când iubești, timpul nu există, nu-l simți că trece sau stă pe loc, pur și simplu nu există, cel puțin în această etapă a îndrăgostirii. Și totuși, oamenii și-au pus mereu întrebarea: Cât timp durează o iubire? Mi-am pus-o și eu și pot să vă spun sincer că nu știu. Știu doar că în cuplurile care „au trăit fericiți până la bătrânețe”, asaltul timpului asupra iubirii n-a făcut decât să o modeleze, să o „așeze” în noi forme, dar nu a reușit să o distrugă, dimpotrivă, a înnobilat-o și atunci spunem că iubirea „a dat roade”.

Atâtea și atâtea cupluri se despart în jurul nostru pentru că cei doi își dau seama că nu se mai iubesc. Fiecare iubire are povestea ei, nu se poate generaliza nimic din ceea ce încercăm să înțelegem din misterul ei. Iubirea adevărată nu are timp, de aceea cred că este greșit să ne întrebăm cât timp durează o iubire.

Nu! Iubirea este un dar, o stare pe care doi oameni reușesc să o trăiască pentru că, la un moment dat, au reușit să primească harul cu care au fost binecuvântați. Este grădina Edenului în care Adam și Eva au fost așezați din dragostea Creatorului.

7
RAI ȘI IAD ÎN IUBIRE

Și totuși, întrebarea adevărată pe care ar trebui să ne-o punem este: de ce oamenii pierd harul iubirii, nu cât durează o iubire, pentru că grădina paradisului nu a fost creată ca să dureze doar până ce perechea promordială a gustat din pomul cunoștinței binelui și răului.

Adam și Eva au fost alungați din Rai pentru că au nesocotit porunca divină, dar vor trăi veșnic cu dorința de a se întoarce în paradisul pierdut. Așa și noi, oamenii veacurilor care au urmat, ființe fragile și slabe, cădem din grația iubirii, dar tânjim mereu să o redescoperim într-o altă poveste care să ne reașeze în harul pe care nu am știut să îl păstrăm.

Poate vine un moment când cel de lângă tine va pleca. Îți va rupe bucăți din inimă și îți va sfâșia sufletul asemenea unui lup înfometat. Iar apoi va dispărea. Precum o nălucă ce îngheață ființe. Când cel de lângă tine nu mai este, nu îl urî. La Un moment dat, a fost tot ceea ce ți-ai dorit mai mult de la viață.

A fost universul tău.
Poartă-l în minte și în inimă...

9

RAI ȘI IAD ÎN IUBIRE

Dragul meu,

Să știi că nu îmi pare rău că te-am cunoscut. Dacă nu s-ar fi întâmplat asta, nu aș fi ajuns să mă cunosc pe mine. Nu regret că m-ai ales. Dacă nu mă alegeai tu, mă alegea un altul. Și poate era mai rău. Nu mă mai supăr atunci când vrei să pari disponibil în fața pițipoancelor care și-ar deschide picioarele, numai pentru că tu le-ai deschis portiera mașinii la care încă mai plătesc credit, atunci când m-ai prostit să-l fac pe numele meu.

Ți-am făcut și patul. Uitai să îl faci de fiecare dată când plecai de acasă. Probabil îl făceai în altă parte. Ai uitat cum mototoleam cearceaful sub respirația noastră. Singurul aer pe care îl mai inspir acum e intoxicat de minciuni și ego. Uitai să mă ții de mână atunci când ne plimbam pe stradă. O luai înaintea mea. De parcă aveam nevoie de un deschizător de drumuri. În tot acest timp, puteai să îmi deschizi inima.

Însă ai preferat să îți închizi ochii și să îți astupi urechile. Parcă vorbeam cu un perete. Un perete pictat în lacrimi și în amintiri de mult uitate.

Ajungeai acasă și te uitai în cruciș la mine. Nu știai cum să mă iei. Cel mai bine era dacă mă luai în brațe. Uneori, nu aveam nevoie decât de asta. Te puneai la masă și înfulecai ca un dement. Îți spuneam să faci o pauză, dar nu voiai să mă asculți. Singura pauză pe care ai făcut-o a fost atunci când ai încetat să mă iubești.

Te întindeai apoi pe canapea și te uitai la televizor până adormeai cu telecomanda în mână. Înainte adormeai cu mâna mea în mâna ta.

Vremuri apuse.

Te trezeai ca un robot și îmi aruncai un „Te iubesc" spus în grabă. De parcă periuța de dinți nu putea să mai aștepte un minut. Cafeaua nu mai era nici ea la fel. Își pierdea din gust de fiecare dată când pierdeai tu bucățele din mine.

Nu mă mai enervez atunci când îți găsesc verigheta ascunsă în buzunarul de la pantalonii

ce s-au dat jos, de atâtea ori, în fața unor depravate ce nu au înțeles că iubirea nu trece numai prin stomac. Nu mă mai irită nopțile când te întorci acasă, crezând că dorm buștean. Atunci când îți arunci, grăbit, cămașa apretată de proasta de lângă tine. Iar dacă urmele de ruj, răsfirate nonșalant pe guler, nu le-ai putut „apreta", le-ai fi putut măcar ascunde. Din bun simț. Împreună cu fondul de ten ce îți gâdila, nevinovat, barba. Nu-mi pare rău că ți-am spălat lenjeria. O femeie care iubește mai trebuie s-o facă și pe asta. Nici că ți-am pregătit, în fiecare zi, o masă caldă. Când tu erai cu dânsa-ntr-însa, eu amestecam în ciorbă, crezând că puiul meu e în ședință.

Iar dacă până-acum nu te interesa... acum ai și profil de Facebook. Apari și single. Deși n-ai dat vreodată impresia ca ești „luat".

Nu mă agit să-ți mai verific telefonul. Era mereu pe silențios. De asta nu îmi răspundeai atunci când te sunam, de dor. Nu-l auzeai.

Pe mine nu mă mai auzi demult. Plecai cu el la budă, la serviciu și chiar atunci când te puneai să dormi.

Era aproape. În loc s-adormi cu mine-n brațe, tu adormeai cu el în mână și cu o pernă îmbibată în parfum necunoscut nărilor mele.

Nu mai întreb când vrei să pleci și unde. Că mergi la bere sau la curve, la fotbal sau la prieteni vechi, la pescuit sau agățat. Totuna!

Nu te voi blestema în ceasuri grele. Nu te voi înjura când ești departe. Atunci când vei muri de foame, în pauzele lor de coafor. Atunci când n-o să te mai sune nimeni, de dor. Când hainele le vei spăla tu singur. Când nu se vor uita în ochii tăi, ci în oglindă. Însă voi plânge pentru tine. Atunci când toantele din viața ta vor face din bărbatul care-ai fost, ruine. Când visele se vor schimba în scrum. Când ele nu te vor iubi... ca mine. Ți-am lăsat prăjitura ta preferată și o scrisoare de adio pe comoda din sufragerie.

Sper să o savurezi și mai apoi să citești scrisoarea. N-aș vrea să-ți stea în gât.

CAPITOLUL I

DE CE SE DESPART OAMENII?

Unii se despart din clipa în care cred că sunt împreună. Precum o adiere fulgerătoare de trăiri care a uitat să mai rămână. Sunt cei care renunță încă înainte de a începe. Pentru ei, iubirea e un mecanism ce nu ar trebui să implice nicio formă de uzură sau durere. Fără luptă și fără prea multe gloanțe risipite în inimă. Pentru ei, celălalt nu este o binecuvântare, ci un merit.

O investiție simbolică ce acum își arată rentabilitatea. Sunt cei care dau bir cu fugiții. Unii aleargă de mănâncă pământul, iar alții se îndepărtează încet și sigur. De ei și de ceilalți. Sunt cei care nu doresc să sufere. Să suspine și să regrete. Să verse o lacrimă ce ar putea fi ștearsă de cel de lângă ei. Sunt cei care preferă o criogenie a ființei, o imobilizare totală a minții și a inimii. Atunci când un suflet înghețat se înnegrește și uită să mai fie transparent.

Alții se despart după multe promisiuni ce nu au cunoscut lumina. Multe dintre ele au rămas în bezna unor pereți mânjiți de cuvinte ce lasă pete. Mai mult în interior. Ariel pentru suflete nu există. De multe ori, încercăm să îl spălăm la mână.

Unii se despart atunci când obosesc să mai iubească. Atunci când iubirea devine un chin al simțurilor. Atunci când ai ajuns să cari în spate și bolovanii celuilalt. Căci lui i-a fost prea lene să îi care singur.

Pe unii îi despart alții. În pauzele de prietenie. Când prietenul de lângă tine... la nevoie se cunoaște. De parcă el ar împărți același pat cu celălalt. De sfaturi și de binevoitori e plină lumea. De obicei, cei care-și bagă coada sunt și cei mai singuri. Sunt niște ghizi perfecți de suflete atunci când pe al lor nu-l mai găsesc printre ruine.

Alții se despart de proști. Dintr-un orgoliu ce apare în poze. Un ego ce-mpietrește inimi. Pentru ei, e mult mai important să aibă ultimul cuvânt. Atunci când celălalt sughite-n gând. E mult mai important ce haine îmbracă decât să se lase dezbrăcați.

E mult mai important parfumul pe care îl folosesc decât să fie mirosiți în dimineți și nopți atinse de aroma celor doi.

Unii se despart de prea mult bine. Când nu se mulțumesc cu ce au acasă. Când vor mai mult. Căci multul pe care îl au acum, a devenit puțin. Când mierea ce-au gustat-o până acum a devenit... venin.

Despărțirile sunt crunte. Cred că cel mai important este ca oamenii, înainte să își spună un „Adio", să își aducă aminte de ce s-au întâlnit pentru prima oară. Căci două trupuri pot fi despărțite de peisaje. Dar două inimi pot rămâne împreună, chiar și atunci când umbra lor începe să se șteargă.

Când în camera separată de suflul celor doi, singurele cuvinte ce mai pot fi digerate sunt cele ale unui suflet măcinat și obosit. Ea este deja plecată, chiar dacă tu îți spui că încă o mai vezi pe holul imprimat de pașii voștri. O nălucă ce bântuie neașteptat aceleași vise și aceleași încăperi mirosind a voi.

Precum stiloul de culoare bleumarin ce a scrijelit cu finețe un manuscris al minții și al inimii ce nu a mai apucat să fie terminat. Stiloul tot bleu rămâne, chiar dacă tu îți spui neîncetat că e roșiatic. Momentele când stăteați pe canapeaua ușor înghesuită de trupurile voastre ce căutau atingere. Ochii ce priveau același film prost pe care voi l-ați considerat bun.

Niciunul nu voia să schimbe canalul, chiar dacă știați deja finalul. Era suficientă o simplă atingere a unui buton pentru a schimba tonul serilor îmbibate în aceleași așteptări. O pedeapsă deloc dulce a unei iubiri îngropate sub podeaua ce ascundea atâtea secrete. Un spirit încătușat și sufocat de aceleași minciuni repetate. Dar nu din partea celuilalt. Mai mult din partea ta. Atunci când „totul va fi bine" se transformă încet în... „fără tine".

Mulți ajung însă târziu la același deznodământ. O bomba cu efect întârziat sau o glumă la care începi să râzi când toți ceilalți deja au uitat-o. Cele mai mari minciuni nu sunt cele pe care ni le spun ceilalți.

17

RAI ȘI IAD ÎN IUBIRE

Cele mai mari minciuni sunt cele pe care singuri le hrănim, amăgindu-ne cu ochii întredeschiși.

Atunci când „Îmi doresc să te uit" înseamnă, de fapt, un „Încă te iubesc!".

Ați cunoscut cupluri care s-au despărțit „frumos"? Mi s-a mai pus această întrebare. Cum aș putea să mă despart de iubitul meu fără suferință? Nu prea ai cum. E imposibil să faci curat undeva, fără a murdări altceva.

În cuplu e la fel. Cum ai putea să te desparți de omul cu care ai împărțit viața, fără a lăsa urme acute de durere în suflet? Și de o parte și de cealaltă. Cei care spun că s-au despărțit elegant și fără regrete sunt cei care, probabil, nu s-au iubit suficient. Orice despărțire aduce suferință în inima protagoniștilor. Nu te poți debarasa de un om așa cum te lipsești de un smartphone. Deși, sunt unii care își iubesc mai mult telefonul decât timpul petrecut cu celălalt.

Oamenii nu sunt obiecte. Nu sunt accesorii pe care să le porți și să le schimbi atunci când consideri că te-ai plictisit de ele. Oamenii nu sunt haine pe care să le dai jos de pe umerașul clipelor, iar mai apoi să le arunci în coșul reproșurilor. Nu îi poți arunca în neantul timpului, încercând să uiți motivul pentru care te-ai îndrăgostit de ei.

Orice relație, indiferent de durata ei, adună amintiri. Mai mult sau mai puțin plăcute. Momente împărtășite. Săruturi lungi sau săruturi scurte, furate la un colț de stradă. Nopți nebune și dimineți liniștite, în doi.

Fiecare om care intră în viața noastră colorează pete în minte și în inimă. Unele pete sunt atât de mari, încât nu pot fi șterse atât de ușor cu buretele ființei. Poate nici cu cel al timpului.

Iar dacă înainte ați împărțit patul, mașina, bucătăria, ceașca de cafea și o țigară ce parcă nu se mai stingea, acum veți împărți doar amintiri. Adăpostiți-le în suflet și zâmbiți. Pentru că nu există despărțiri elegante. Există doar amintiri frumoase ce ar trebui prețuite. Prețuite, chiar și pentru durerea pe care ne-o picură în suflet. Pentru că durerea ne păstrează vii.

RAI ȘI IAD ÎN IUBIRE

Despărțirile sunt dureroase. Atunci când inima ta plânge după inima celui ce-a fost, cândva, Universul tău. Căci în diminețile scăldate în voi, ochii voștri se deschideau în același timp. E greu să știi că cel ce a plecat nu îți va mai săruta pleoapele. Când cel ce ți-a răvășit sufletul te lasă, acum, să îți aduni singur bucățelele împrăștiate de ființă.

În ele îl vei regăsi și pe el. Vei regăsi frânturi de gând, atingeri de zâmbete și lacrimi ce îți pătează obrajii fini. Iar dacă înainte tot el ți le ștergea, acum te vei lua la întrecere cu ploaia. Atât de ude îți vei simți buzele. La început un gust sărat-amar. Ca un aperitiv al sufletului servit în cele mai alese boluri.

Despărțirile sunt dureroase. Atunci când două inimi nu și-au încheiat recitalul. Când două minți se deconectează brusc și se îndepărtează. Când până și cuvintele nu mai ajung acolo unde au fost păstrate cu atâta grija. Acum sunt niște sunete lansate într-un abis de suspine crunte. Când tăcerile celor doi își spun adio.

Despărțirile sunt dureroase. Când țipi pe interiori, deși, nimeni nu te poate auzi. Când omul care a plecat și-a astupat urechile, și-a închis ochii și și-a amanetat inima, singurătății. A îmbrățișat zări necunoscute, lăsându-și urmele în pragul nebuniei voastre. Iar dacă uși și geamuri se închid acum, mirosul lui îl vei simți aievea. Ca o aromă ce ți-a lăsat amprente în ADN.

Vine un moment când, poate, cel de lângă tine va pleca. Îți va rupe bucăți din inimă si îți va sfâșia din suflet asemenea unui lup înfometat. Iar apoi va dispărea. Precum o nălucă ce îngheață ființe. Când cel de lângă tine nu mai este, nu îl urî. La un moment dat, a fost tot ceea ce ți-ai dorit mai mult de la viață. A fost lumea ta. Poartă-l în minte și în inimă... Poartă-l cu drag.

CAPITOLUL II

LUMINI ȘI UMBRE...

Mulți dintre noi ne transformăm în veritabili teroriști ai sentimentelor. Suntem la fel de periculoși precum cei care țin o armă într-o mână și un cuțit în cealaltă în numele unei cauze sau a unei religii cel puțin greșit interpretate. Suntem acei oameni care nu mai au nimic de pierdut în ochii celorlalți și ai noștri. Acei indivizi pervertiți social și într-o continuă decadență și degradare insolubilă a sufletului. Teroriștii din cuplu nu au nevoie de arme și nici de o cauză pentru a-i tortura psihologic pe cei cărora le rostesc cuvinte atât de mascate de un ego inflamat la extrem. Ei nu trebuie să ucidă fizic pe nimeni. În schimb, ucid psihic și moral tot ceea ce ține de o anumită recuperare dureroasă a sufletului celui care a ajuns să își piardă sinele și să își înece grăbit visele.

Teroriștii din cuplu nu varsă niciun strop de sânge pe tabla ștearsă a sacrificiului personal. Dimpotrivă, îi sacrifică pe cei de lângă ei pentru neputințele lor crunte și ferecate într-un inconștient mai mult sau mai puțin salvabil. Teroriștii din cuplu se identifică autentic și iremediabil cu ucigașii de suflete. Acei ucigași notorii ai minții și ai inimii celuilalt, într-o continuă luptă a valențelor spirituale și familiale în care aceștia au fost crescuți. Un spirit pătat de culorile acide ale unui trecut ce strigă a suferință și a răzbunare gratuită.

Frustrarea, invidia, aroganța, lipsa dragostei și toată această neliniște interioară îi transformă în niște „asasini" profesioniști ai iubirii. Pentru ei iubirea doare. Doare atunci când nu este înțeleasă în formele ei cele mai pure sau paroxistice și de neasimilat. Ei nu știu că iubirea nu trebuie înțeleasă sau descifrată. Codificată de trăiri tulburătoare și de un uragan pe care aceștia îl aștern în fața „victimelor" cu o nonșalanță de nerecunoscut a ființei. Iubirea se simte și se trăiește. Împărtășită plenar din interior înspre exterior, într-o revărsare necondiționată a emoțiilor și a sentimentelor.

RAI ȘI IAD ÎN IUBIRE

Dar cine sunt, de fapt, acești indivizi? Sunt oamenii care nu trebuie să te lovească fizic pentru a se face înțeleși în discursul lor cel puțin egoist. Palmele simbolice au durut întotdeauna mai mult și mai tare atunci când acestea au fost țintite la momentul potrivit și în contextul preferat de ei. Un discurs plin de seva otrăvită a trupului ce se baricadează cu lașitate în spatele unor cuvinte deloc tămăduitoare. Sunt acei indivizi care au căzut în păcatul deznădejdii și l-au uitat pe Dumnezeu, îngropându-l sub rămășițele răvășite ale ființei lor și promovând inconștient un nou dumnezeu: ei înșiși. Un dumnezeu fals ce poate justifica pe ascuns orice faptă ce se confundă cu străfundurile ființei când, de fapt, ea este alimentată de un egoism terifiant și stăpânitor.

Teroriștii din cuplu nu încearcă să își găsească salvarea mult așteptată în brațele slăbite ale partenerilor. Ei își găsesc salvarea în suferința pe care celălalt trebuie să o îmbrățișeze în același mod pervers. Se ascund în umbra lașă a momentului și lansează atacuri fulger asupra celuilalt, folosindu-se de întreg arsenalul pus la dispoziție de ego-ul bolnav. Ei consideră că nu au nevoie de vindecare.

Mintea și inima lor sunt într-un continuu proces de alienare și într-o luptă pe care nu o conștientizează. Fericirea lor este nefericirea celor de lângă ei atunci când frontul comun al „iubirii" este încălecat și asaltat de infinitele măști viclene pe care aceștia le schimbă necontenit în tropotul timpului.

Teroriștii din cuplu sunt peste tot. Sunt printre noi și își „aleg" victimele în goana lor haotică a sufletului. A unui suflet sinucis sistematic și cu o grijă, uneori diabolică. Sinucis și nu ucis. O diferența de nuanță pe care unii dintre noi ar trebui să o simțim atunci când ne aflăm în preajma lor.

Cu toate acestea, chiar și teroriștii din cuplu merită iubire. Sclipirea divină dinăuntrul poate fi martorul perfect al unei renașteri și transformări a spiritului încătușat și înlănțuit de ei înșiși. Doar așa vor reuși să fie vindecați și doar în felul acesta își pot găsi acea fericire și dragostea după care, inconștient, aleargă.

25

RAI ȘI IAD ÎN IUBIRE

Cine îi va iubi? În primul rând ar trebui să înceapă cu ei înșiși.

Impostorii emoționali sunt peste tot în jurul nostru. În fugă sau în treacăt. În anotimpuri reci, dar și în anotimpuri mult prea încălzite de inimi aparent îndrăgostite. Aparent doar! Dacă ar exista un aparat de scanat al sufletului care să ne arate care sunt impostorii corupți ai sentimentelor, viața ar fi mult mai ușoară și, în jurul nostru, mai puțină nefericire.

Și totuși, cum îi depistăm? Aici este problema. Sunt foarte greu de depistat. În primă fază, cel puțin. Vin atașați de cele mai dulci și promițătoare măști, emană căldură și înțelegere și s-ar arunca și în foc pentru tine. Bineînțeles, cu vorba doar. Sunt cei care imploră să fie lăsați aproape de sufletul tău pentru a-l mângâia și ocroti când, de fapt, realitatea este cu totul alta. Sunt acei oameni care stăpânesc sublim arta cuvintelor, dar pică detașat la testul faptelor. Sunt partenerii care îți promit atât de multe, încât până și ei uită ce au promis.

Fericirea lor este inexistentă. Cu toate acestea, ei par să se alimenteze din nefericirea celorlalți. Din suferința și chinul provocate sistematic și pregătite cu grijă, zi de zi și noapte după noapte. Sunt asemenea căpușelor și a lipitorilor care se lipesc de pradă și o sug de toată energia pozitivă pe care o au, creând dependență.

Majoritatea impostorilor emoționali sunt asemenea vampirilor energetici. Te seacă de dorință, de gânduri alese și de viață. Îți știrbesc încrederea în tine, îți fură libertatea, îți absorb suflarea și toate acestea sub semnul unui zâmbet atât de pregătit și fals. Sunt cei mai corupți tehnicieni ai sentimentelor, dar și cei mai aprigi voluntari atunci când trebuie să se apere de o posibilă deconspirare.

Ce trebuie să faci atunci când îi depistezi? Să fugi! Cât vezi cu ochii și mâncând pământul de sub tălpile tocite de amarul vremurilor. Să fugi cât te țin baierile trupului și să nu te mai uiți înapoi. Pentru nimic în lume! E singura cale de a-ți salva sufletul și de a-l păstra nevătămat pentru cel care merită o bucățică din inima ta.

Orgolii...

Faptul că arată bine, e parfumat și are o privire seducătoare nu îl transformă în partenerul potrivit. Partenerul potrivit trebuie să arate bine, în primul rând, pe interior.

La asta să te uiți... Întotdeauna!

Există oameni care vorbesc despre orgoliu, dar se parfumează în fiecare zi cu el. Așa cum există chipuri ce îmbracă măști eterne în goana după fericire. În drumul lor, calcă inimi și ofilesc trupuri. Iubirea este pentru toți, însă nu toți sunt pentru iubire. Iar dacă unii au încetat să mai creadă în ea, au încetat să mai creadă în ei. Sunt cei care te lovesc cu brutalitate atunci când lumea lor se prăbușește. Ca și cum ar încerca să te atragă în prăpastia emoțiilor proprii. Pentru ei, nu mai contează interiorul atât timp cât fațada iese în evidență. Chiar dacă au uitat cine le-a fost alături atunci când au lucrat, împreună, la fundație.

Defilează prin lume asemenea unor picături acide de ploaie. Cele mai multe dintre ele îți ard pleoapele, îți topesc buzele și ajung in inimă. Unele îți lăsa urme vizibile pe trupul încercat, iar altele îți cicatrizează sufletul deja rănit și surd. Sunt oameni care au nevoie de tine deși, o viață întreagă au stat mai mult pe lângă tine, în loc să fie, cu adevărat, în viața ta. Unii dintre ei te sunau în miezul nopții fără de sunet, iar alții nu îți răspundeau nici măcar în mijlocul zilei!

Aproape de fiecare dată sunt cei care le știu pe toate. Unii nu au facut nimic în viața lor, dar au ajuns sfătuitori de invidiat. Vor încerca mereu să-ți spună cum să îți trăiești viața, uitând să o trăiască pe a lor. Alții au ajuns atât de sus, încât au uitat cu desăvârșire de unde au plecat și cine i-a ridicat de jos atunci cand gleznele lor sângerau a vânătăi la fiecare piedică pe care au luat-o. Mulți dintre ei își îngrijesc cu obsesie trupul și interesele meschine. Se parfumează atât de mult încât își pierd din aroma ființei atunci când trec arogant și într-o grabă nevrotică pe lângă tine. Cei care se opresc în viața ta te vor intoxica cu același miros greoi și sufocant.

29

RAI ȘI IAD ÎN IUBIRE

Te vor îngropa asiduu în abisul neîncrederii și al suferinței împărtășite. Te vor lăsa să verși lacrimi atunci când ale lor sunt înghețate. Te vor lăsa să tremuri de durere atunci când trupul lor a uitat să mai tresară. Îți vor presăra cuvinte în inimă, iar apoi vor mușca din ea și o vor devora, asemenea canibalului de suflete. Mai apoi, te vor invita să savurezi un vin scump, într-o companie atât de ieftină!

La final, îți vor arunca sufletul la ghenă, alături de al lor. Vor îmbrăca aceeași haină scumpă, aceiași pantofi eleganți și același ceas bătut în cristale. Se vor urca la volanul aceleiași mașini și vor goni pe aceeași autostradă a sufletului măcinat și cenușiu. Pentru ei, atât haina, pantofii, ceasul cât și mașina sunt niște accesorii. Ai grijă să nu devii și tu unul. Pentru că un parfum scump și un zâmbet fals nu vor putea niciodată să mascheze un suflet ce miroase atât de urât.

De ce să nu te ridici atunci când ceilalți te trag în jos? Când tot ce mai contează acum e un simplu zâmbet ce trece prin minte și ajunge în inima. Când ceilalți râd, tu nu ar trebui să plângi.

Prea multe săgeți otrăvitoare țintite într-un suflet pur. De ce să te uiți mereu înapoi atunci când ceilalți îți caută privirea? Căci înainte îți căutau, nevrotic, trupul, lăsând prea multe răni adânci pe el.

De ce să stai pe loc atunci când ceilalți te alintă în cuvinte amare? Singuri și-au îngropat fericirea, iar acum vor să te-ngroape și pe tine în suferință. De ce să mai suspini cu mintea împrăștiată-n amintiri? De ce ai respira același aer greoi, lăsând în urma ta parfum ce se hrănește neîncetat din lacrimi? Prea mulți ți-au uitat numele, căutând năluci în visele năucitoare. Pentru unii ai devenit o hologramă a unui suflet încins de așteptări, iar pentru alții, o mobilă veche de care nu se pot debarasa.

Ești prea frumos să îți pierzi vremea cu oameni urâți. Să cercetezi în amintirile unui început înmiresmat în voi. Când doi vibrează și dansează pe același ritm, atunci e iubire. Dar nu când unul se împiedică în pași de dans uitat. De ce să iei Xanax pentru un om gol de sentimente? Un om ce ți-a făcut ființa franjuri. De ce să plângi pentru un om ce a uitat să spună „Te iubesc”?

31

RAI ȘI IAD ÎN IUBIRE

Căci la început e singurul motiv ce v-a ținut aproape. De ce ai sta ghemuit în același colț uitat de oameni, fredonând o piesă atât de goală? Muzica inimii are un alt ritm, știut acum numai de tine. De ce să-ți frângi necontenit sinapsele? Să te gândești mereu la cât de greu îți este? Să pedepsești o inimă ce încă bate? Nu are rost. Iubirea încă te mai caută. Și nu te-ar căuta, dacă nu te-ar fi găsit deja...

De ce să iei Xanax pentru un străin, un om ce s-a îndepărtat de tine de nu îl mai recunoști? Nu e mai bine să te bucuri că ai scăpat de cineva care nu te-a meritat și care ți-ar fi dat sufletul la schimb pentru orice altceva? De ce să iei Xanax pentru o nălucă? Nu! Mai bine ia o gură sănătoasă de aer, mulțumește că ești încă în picioare și mergi mai departe... zâmbind!

Sparge zidurile în care ceilalți te-au lăsat fără respirație. Topește ghețarii care ți-au îngreunat, până acum, suflarea. Deschide porțile pe care, singur, le-ai închis atunci când cel de lângă tine a bătut prea tare în ele. A intrat cu picioarele peste pragul inimii tale. A lăsat urme de praf și dâre de noroi în suflet.

La naiba cu lacrimile purtate în vântul agoniei. Cu cerul înnorat și plin de ploile și furtunile celorlalți. Nimeni nu ți-ar fi dat o umbrelă să îți ascunzi pomeții de picături purtate printre fire umede de păr. La naiba cu telefoanele pe care le primeai de la ei doar atunci când îți mergea bine. Când totul se prăbușea în jurul tău, abonatul prieteniei nu putea fi contactat. Își reziliase contractul cu tine pe termen nelimitat.

La naiba cu vocile care îți spuneau că tu nu ești bun de nimic. Când nimicul se preschimbă, furibund, în totul dinaintea ta. La naiba cu nopțile nedormite în agonie. Cu visurile spulberate peste clipe. Atunci când ceasul cel mai întunecat îți șoptea versuri în timpanul înghețat.

Ieși din depresie! Ești mai puternic decât ieri și decât ei! Ești ca un val ce nu se lasă oprit de malul ce se termină în asfințit, în firicele de nisip ce gâdilă, aievea, tălpile ce s-au topit de-atât dor.

Ieși din bezna ființei! Ești ca un fulger ce și-a făcut loc printre norii de oțel ai minții precum un far ce luminează nopțile chinuite în care nu puteai dormi, înghițindu-ți lacrimile amare.

Ieși din amorțirea simțurilor! Ești un om bun! Atât de bun încât poți să visezi un nou început sub pleoape ce-ți sunt mângâiate de îngeri ce nu te-au uitat.

Ieși din deznădejde! Deschide fereastra! Trage jaluzelele ființei și lasă soarele să te pătrundă! Să îți bronzeze inima, să-ți încălzească trupul!

Ieși din ploaia de lacrimi! Căci nimeni nu merită lacrimile tale, atunci când, singur, ți le-ai șters în lipsa lor.

Ieși din depresie! O nouă zi a început! Zâmbește azi, zâmbește mult! Ești apă, gheață, foc, ești un sărut...

Noi am fost creați să fim fericiți. Fiecare om a pășit cu un scop pe acest pământ. Fiecare om are un dar și un vis. La un moment dat, ne împiedicăm. Sau suntem ajutați. Sau chiar ni se pune vreo piedică. Cădem și în cădere, uităm că am fost trimiși în lumea aceasta cu o misiune.

Îmi aduc aminte că Andrei Pleșu spunea că talentul nu este un merit, ci un dar pe care trebuie să îl onorăm. Un dar pe care trebuie să îl descoperim și să îl punem, atât cât putem, în slujba celorlalți. Sunt oameni cu spirit de afaceri, creând locuri de muncă pentru alții. Sunt oameni care au talentul muzical și al picturii și ne încântă spiritul estetic. Sunt alții care sunt făcuți pentru învățătură. Pentru a oferi mai departe această învățătură. Nu există oameni importanți și oameni mai puțin importanți. Fiecare are rolul lui bine definit.

Când uităm acest lucru sau când ni se spune de cei din jurul nostru că „nu suntem buni de nimic", începem și noi să credem că este așa. Atunci se produce alunecarea. Din oameni tineri, frumoși, devenim bătrâni, zbârciți pe dinăuntru. Sau începem să credem că suntem urâți. Mulți dintre noi ne urâțim în oglinda strâmbă a celor din jur care nu știu sau au uitat să mai iubească.

Suntem prea demni să ne pierdem timpul cu oameni de acest fel. Cu oameni care ne spun cum ar trebui să ne legăm cravata atunci cand ei au încetat să o mai poarte pe a lor. Suntem prea tandri să ne pierdem vremea cu oameni invidioși.

Cu oameni care ne judecă nu pentru că suntem fericiți, ci pentru că ne cred mai fericiți decât ei.

Suntem prea orgolioși să ne pierdem vremea cu oameni care ne spun: „Nu poți!". Ei ar trebui să știe că singurul moment când ar trebui să folosim cuvintele „nu pot" este atunci când cineva ne spune să renunțăm la visurile noastre. Prea frumoși să ascultăm aceeași melodie gri a sufletului. Atunci când ceilalți îți spun cum să iubești, când ei nu și-au iubit nici măcar propria persoană. Atunci când ceilalți îți spun cum să îmbrățișezi, cum să săruți, cum să muncești și să te bucuri. Când ceilalți ajung să simtă mai mult decât simțim noi înșine.

Suntem prea tineri să ne trăiască alții viața. Mulți dintre ei nu și-au trăit-o pe a lor cum trebuie. Suntem prea dornici de iubire ca să iubească alții pentru noi.

Și suntem mult prea tineri să ne simțim deja bătrâni în preajma unora...

Prea mult am stat în umbra altora. Ne-au luat soarele și l-au transformat într-o minge de foc. Apoi ne-au ars buzele și ne-au trimis comete în inimă. Explozii de trăiri și emoții. Ne-au încins la început ca pe o plită ce-și așteaptă carnea fragedă. Ne-au întors apoi pe toate părțile și ne-au lăsat să rumenim în așteptări.

Când i-am iubit, ei ne-au întors spatele. Tratându-ne cu indiferența nedigerată a uitării. Timpuri sacre petrecute în blasfemia celorlalți. Ne-au otrăvit gurile însetate de adevăr și ne-au înțepat sufletul cu mii și mii de ace răzvrătite. Un ser al minciunii pe care ni l-am injectat singuri atunci când încă mai credeam că totul va fi bine. Bine pe naiba! Bine le era lor. Atunci când se unduiau parșiv pe coapsele noastre, când ne serveau din fructe alese, lăsându-ne apoi să ne înecăm cu sâmburii scuipați în agonie.

Am lâncezit destul în ignoranța lor. Când vorbele lor se prelingeau atent pe timpanul mângâiat în etern. Am rămas la stadiul de vorbe, căci faptele lor întârziau precum un tren nehotărât.

Ne-au ademenit privirile și auzul cu zeci de clopoței poleiți în aur. Chiar dacă muzica ce o cântau nu mai făcea ravagii-n inimă. Doar venele mai zornăiau când sângele se-amesteca cu lacrimi.

RAI ȘI IAD ÎN IUBIRE

Am gustat din veninul lor prefăcut în mir pictat pe frunte. Murind încet... pe interior. Ne-am abandonat ființa atunci când diminețile lor erau seri pătate în promisiuni. O zi a cârtiței ce se repeta în infinitul glasului. Am ascultat aceleași povești nemuritoare. Nemuritori trebuia să fim noi, alături de ei. Premeditat, ne chinuiau. Stingând lumini și aprinzând tăceri. Atât de sumbre și fără de alint, încât nu mai știam să spunem „Te iubesc"!

Căci șerpii nu se mai târăsc. Ei umblă printre noi...

Minciuni...

Sunt oameni care se pun în pat cu minciunile lor în fiecare noapte. Iar alții, în pat cu acești oameni. Minciuni pe care ni le spunem zilnic în legătură cu partenerii nepotriviți sau mai puțin potriviți.

Acele momente când ne lăsăm pradă emoțiilor contradictorii și ajungem să credem toate „poeziile" pe care partenerul nostru de „suflet" ni le recită cu zâmbetul pe buze. Momentele de cumpănă și îndoială în care suntem asaltați de promisiuni de plastilina, promisiuni care se modelează și se mulează perfect pe inima noastră deja frântă.

Nu este suficient că ne-am pierdut reciproc în acest joc teribil al așteptărilor și al durerii, mai trebuie să ne pierdem și pe noi înșine. Cu ușurință și din ce în ce mai adânc. Iubitul nepotrivit este mincinosul perfect al sufletelor. Te atrage în jocul inimii, te îmbie cu parfumul regulilor nescrise și „dulci", iar mai apoi le încalcă cu o grație de nedescris.

RAI ȘI IAD ÎN IUBIRE

Iar noi, ca niște actori amnezici ce și-au uitat replicile între două bătăi de inimă, ajungem să credem și să agreăm acest joc dureros și masochist.

Ajungem să ne sacrificăm personalitatea, integritatea, ființa și esența pentru un om care ne intoxică cu aceleași gânduri și trăiri inautentice. Ajungem să ne pierdem cu totul în numele unei iubiri ratate.

Din dragoste suferi, îți iei pumni, te amăgești și continui, chiar și atunci când bați pasul pe loc. Asta nu e dragoste. E autodistrugere.

Căci cele mai mari minciuni pe care le auzim nu sunt din partea celuilalt. Cele mai mari minciuni cu care ne hrănim zi de zi sunt cele pe care ni le spunem noi.

Mi-am adus aminte de ceva drăguț:

Niciodată nu vei mai găsi pe cineva ca mine.

Doamne ajută! Nici nu îmi mai doresc unul ca tine!

În viață poți să pierzi orice! Ți-ai pierdut telefonul mult așteptat la cozile de Black Friday în mulțimea confuză din jurul tău. Poate că l-ai pierdut în aceeași zi și pe aceeași stradă prăfuită de pașii apăsați atâția ani la rând. Sau poate că ți-a fost furat la două străzi distanță de sufletul pereche ce a plecat cu inima ta, lăsându-ți trupul respirând în gol. E doar un telefon. Iar dacă până acum a sunat în buzunarul tău, de acum înainte va suna la fel de sec și lung în mâinile altuia.

Ți-ai pierdut cheile de la apartamentul proaspăt zugrăvit în culorile unei iubiri pierdute și nu le-ai mai găsit pe nicăieri. Nici pe raftul atins de cărțile ce ți-au fost atât de bune prietene. Nici la terasa chic de la care ai plecat pierzând un amic, încă înainte de a-l cunoaște și nici în buzunarul de la blugii mânjiți în albastrul timpului. Ai pierdut examenul de șofat și „ai picat" orașul într-o fracțiune de secundă când cel de lângă tine ți-a spus să virezi dreapta, iar tu te-ai conformat. Când, de fapt, era obligatoriu înainte! Așa e și în viață. De multe ori cotim unde nu trebuie și ne lăsăm purtați de valul altora uitând să mai privim în față. Nu e nicio problemă. Încerci data viitoare. Taxiuri se găsesc!

41

RAI ȘI IAD ÎN IUBIRE

Ai pierdut o dragoste ce ai simțit-o atât de aproape. Nu face nimic. Va veni o alta. La fel de duioasă ca prima și poate chiar mai tumultoasă!

Ai pierdut și ceasul de la mână, timp prețios, prieteni dragi, obiecte de valoare și tot atâtea autobuze în stațiile ce nu se lasă așteptate. În viață poți pierde tot. Într-o clipită.

Dar cel mai important... să nu te pierzi pe tine. Iar dacă ai făcut-o, începe să te regăsești.

Nu te uita în spate! Te vei împiedica și îți vei rupe gâtul. Vei rata semnul vieții care-ți arată obligatoriu înainte. Vei pierde din aroma prezentului și vei gusta același praf petrecut peste clipe apuse. Nu te uita în spate. Ce naiba să mai faci acolo? Ți-ai uitat cumva ceva-n trecut? O inimă sau poate-un suflet rătăcit? Sau poate c-ai pierdut frânturi din ele atunci când pașii îți stăteau în loc.

Nu te uita în spate! Nu vei găsi decât fantome sau umbre ce-ți întunecă privirea. Nu vei găsi decât un nume ce-acum nu îl mai poți striga. Așa cum ai făcut-o la-nceput.

Te vei lovi de ziduri groase. Precum un orb ce nu mai trebuie legat la ochi. Vei poposi în ape tulburi și vei înghiți din nisipul adus de valurile suferinței.

Nu mai privi în spate! Vei ameți mai rău ca într-un carusel dement al ființei. Îndreaptă-ți chipul înainte. Căci trupul e îndreptat cum se cuvine. Doar mintea se mai joacă acum cu el. În spate este multă suferință. Multă durere ce te îmbie la băut. Precum un masochist veritabil ce-și varsă tot amarul într-un pahar ce-i poartă numele.

Nu-ți mai întoarce capul și privirea! Mai bine ți-ai întoarce spatele. Ți-ai lustrui ușor pantofii, ți-ai îndrepta privirea înainte și mâinile le-ai potrivi în alte mâini.

Nu te uita în spate! E mai mișto în față! Căci drumul tău de abia acum începe.

Răscruci...

Unora le este frică să divorțeze așa cum altora le este teamă să se căsătorească. :) Și unii, și alții au dreptate. Nu există un manual pentru cei care vor să își lege destinele așa cum nu există legi universal valabile pentru cei care vor să „scape". Să scape de ce? De chin. Atât de cel fizic, în multe cazuri, cât și de cel emoțional. E mai bine să pierzi pe cineva care nu te-a meritat decât să te pierzi pe tine, crezând că merită.

„Până când moartea ne va despărți!". Mulți nu au înțeles despre ce este vorba. De cele mai multe ori e vorba de „moartea sentimentelor".

Niciodată nu a fost ușor să întorci foaia sau chiar să o rupi. În cele mai multe cazuri, adăugăm file noi de poveste. Însă nu e o poveste cu Happy End. Să stai într-o relație toxică, să îți compromiți mintea și inima, să îți îngropi adânc sufletul și să îți anihilezi ființa nu este o alegere profitabilă pe termen lung. Căci tot pe termen lung tu vei fi vinovatul principal. Iar atunci când te complaci într-o relație compromisă, nu ești o victimă, ci un complice. Cel mai mare complice la nefericirea ta.

„La naiba” cu cei din jur. Atunci când ajungi să trăiești prea mult viața altora, începi să o trăiești din ce în ce mai puțin pe a ta. Până în punctul în care nu te vei mai recunoaște. Nici în oglinda de pe perete și nici în cea a sufletului. „La naiba” cu cei care îți spun că nu vei mai găsi pe nimeni ca ei. Spune-le că nici nu îți mai dorești. „La naiba” cu cei care îți aruncă săgeți otrăvite în inimă sperând să te recucerească cu antidotul preparat pe ascuns. „La naiba” cu impostorii de suflete care ți-au măcinat trăirile și emoțiile, ți-au călcat încrederea în picioare și au scuipat cu nonșalanță pe aceleași promisiuni răvășite în dorință.

Să îți revendici dreptul la fericire nu te face răzvrătit. Și nici prost. Prost ești dacă stai și înduri. Pumni și cuvinte amare. Palme și indiferență. Crezi că îți va fi greu fără? Eu cred că îți va fi mult mai bine cu! Cu tine. În primul rând. Crezi ca ești primul care își dorește un nou început? Nu îl vei avea dacă te scalzi în același sfârșit. Crezi că vei fi judecat de copiii tăi? Să stai într-o relație toxică de „dragul” copiilor nu înseamnă să le arăți acestora cât de fericit ești, ci să le oferi cel mai bun exemplu de „Cum să fii nefericit!”. Te vor judeca. Că nu ai plecat. Și că i-ai chinuit și pe ei. Mai mult decât pe tine. Crezi că nu vei rezista? Până acum cum ai rezistat?! Dumnezeu nu ne dă mai mult decât putem duce.

Prinde curaj și închide ușa! Numai așa se pot deschide altele. Păstrează-ți credința și apasă butonul de „Stop". Numai așa vei putea să te bucuri de un nou capitol.

Există viață după despărțire? Ooh, da! Și încă ce viață! Pentru că viața înseamnă să te reclădești, să te descoperi cât ești de puternic în slăbiciunea ta, să înțelegi cât poți fi de hotărât în vâltoarea nehotărârilor care te-au măcinat ca să clădești un nou întreg.

Iar viața nu se termină atunci când partenerul nepotrivit dispare de lângă tine. Ea atunci începe! Pentru unii începe cu un zâmbet, iar pentru alții se termină în fața altarului. Atunci când cea mai scumpă rochie de mireasă o porți tu.

Sunt unele cusute cu fir de platină. De multe ori purtate de femeia care a uitat să-și coasă inima la loc, crezând că bărbatul de lângă ea o va face. Altele abundă în diamante. Când singurele nestemate ar trebuie să fie în suflet și nu pe un material textil. Rochii însiropate în mii de perle. Atunci când miile de sentimente au dispărut, făcând loc unuia singur. Și mai sunt acele rochii pe care le-au purtat cu grație și cele dinaintea lor. Așa cum ai purta în minte și în inimă petele unui trecut ce nu-ți dă pace. Cum uneori, drumul până la altar e mai scurt decât cel până la inima ei, iar rochia ce o poartă strălucește mai tare decât zâmbetul ușor ascuns de pe chip.

O Cenușăreasă ce își pierde pantoful înainte de a se pierde în ochii lui. Femei ce își doresc să radieze frumusețe și admirație în fața oglinzii mai mult decât în fața alesului. Cele care pierd mai mult timp în a căuta cea mai frumoasă și potrivită rochie în loc să își găsească timp pentru a căuta mai adânc în sufletul ei și al lui.

Cea mai scumpă rochie de mireasă nu e cea care îți golește cardul de bani. Nici cea care culege priviri.

47

RAI ȘI IAD ÎN IUBIRE

Cea mai scumpă rochie de mireasă e cea care îți golește sufletul și îți topește inima în mii de bucăți atunci când o porți lângă bărbatul nepotrivit.

E sublim să fii admirată! Însă cel mai indicat e să o facă cine trebuie. Acela ar trebui să fie lângă tine și în fața altarului. Mai mult decât atât, să se țină și de promisiuni. Alea, da! Pe care ți le-a făcut înainte să îți pună inelul pe deget și mâna pe inimă. Femeile iubite sunt frumoase. Sunt și mai frumoase atunci când iubesc. Dacă ai ajuns la starea civilă, dar încă te gândești la cel de dinainte, mai bine anulează tot. Invitații, drumuri, telefoane și fluturași.

Fluturașii ar trebui să îi ai în stomac. Înainte și după. În ziua de azi, nu e greu să fii mireasă. E greu să rămâi așa. Puțin căsătorită nu înseamnă nimic. Nici puțin iubită. Ori ești iubită și iubești cu totul, ori renunți la voal. Și la măști.

E de dorit să fii în atenția tuturor. Însă e mult mai al naibii de plăcut să fii universul unuia singur. Până la urmă, cu el vei defila. Atât în minte cât și în inimă, iar mai apoi în lumea largă.

Nu am înțeles niciodată femeile care se căsătoresc numai pentru a bifa încă o etapă în viața lor. Căsătoria nu e un contract. Poate numai la nivel simbolic. Din nefericire, mulți o transformă într-o afacere, cu dobândă pe termen lung.

Căsătoria ar trebui să fie din dragoste. Dacă nu ai descoperit dragostea până atunci, mai bine rămâi singură. De mirese e plină lumea. Mirese fericite. Numai în noaptea nunții și puțin după. Însă femei fericite, tot mai rar. Au și bărbații vina lor. Unii te văd divină, înainte. Alții îți spun că ești de vină, după. Căsătoria nu e o șmecherie. Decât atunci când ești pregătit să ți-o iei cu vârf și îndesat.

Nu trebuie să te căsătorești pentru a fi fericit. Însă e important să fii fericit înainte să o faci. Altminteri, s-ar putea să amâni același deznodământ crunt al ființei. Atunci când mintea și inima se luptă neîncetat. La final de zi, tot tu vei pierde.

Despre cei care se căsătoresc pentru a nu rămâne singuri, no comment. E ca și cum te-ai uita într-o oglindă spartă. Chiar dacă te deformează, tu tot frumos te vezi. Sau nu?

Căsătoria e sfântă. Din păcate, e plin de drăcușori în jurul nostru. Ăștia care îți taie aripile și apoi se supără că nu poți zbura.

Mireasa e femeia care, inconștient, e pregătită să renunțe la atenția tuturor pentru neatenția unuia singur. Eu zic că cel mai bine ar fi să nu renunțe la ea. Atenții găsești peste tot. Neatenți, la fel. Însă o iubire autentică e precum o comoară. Iar atunci când o găsești, ai grijă cu cine o împarți.

Discuții de complezență. Zâmbete de complezență, prietenii de complezență și căsătorii de complezență. Oricât de greu ar fi de crezut, cele din urmă există. Uneori, sunt mai grave decât cele din interes. Când alegi să te căsătorești din plictiseală, pregătește-te să te plictisești alături de celălalt. Poate o viață întreagă.

Există femei care se căsătoresc cu bărbați doar pentru mașina lor. De parcă o mașină te-ar putea îmbrățișa în nopțile la fel de înghețate precum inima ce-o porți atunci când speri ca cineva să-ți șteargă lacrimile ce curg și pătează o rochie de mireasă pe care ai visat-o mai mult decât l-ai visat pe el! Și mai există bărbați care se căsătoresc pentru că alta mai bună nu găsesc. Sau cel puțin, așa cred ei! :)) În clipele în care și ei se întreabă cât sunt de buni. În primul rând pentru ei și mai apoi pentru ea!

Mai sunt și cei care nu mai apucă să se căsătorească deloc. Temeri, traume sau părinți pentru care niciun partener nu este bun și potrivit. De parcă ei s-ar căsători și nu copiii! :)) Iar dacă totuși te hotărăști să o faci, gândește-te de două ori înainte. Sau chiar de nouă. E mult mai ușor la altar decât în fața la notar.

O căsnicie e o artă și nu o adunătură de orgolii din partea ambilor parteneri.

O relație ar trebui să fie sfântă și nu pervertită din exterior de oameni cu chip de lut. Iubirea este întotdeauna pură și nu murdărită de șmecherii, miciuni, ascunzișuri și comploturi sufletești. oamenii au uitat să iubească. În primul rând pe ei. Deschideți ochii inimii! Destupați urechile sufletului! Uitați-vă în interior și rugați-vă. Într-un final, toate se vor aranja!

Vocile trecutului...

Atunci când trecutul îți bate la poartă iar tu ești pregătit să îl întâmpini cu „sufletul la gură", aranjat și parfumat, așteptându-l în pragul ușii, entuziasmat fiind de ce anume o să îți aducă, fii pregătit să îmbrățișezi dezamăgirea. Mai mult decât atât, fi pregătit să fii lovit crunt și brutal de palmele acestuia. Niște palme neiertătoare.

Atunci când trecutul îți bate la ușă și tu îi deschizi e ca și cum ai invita un hoț în casa ta cu brațele deschise. Din fericire, hoțul nu îți poate fura decât niște obiecte. Mai mult sau mai puțin valoroase. Dar trecutul, acest colos plin de cicatrici și vânătăi, plin de umbre și de nuanțe de gri sau negru...acest monstru perfid... te poate fura cu totul. Îți poate fura suflarea, dorința de viață, dorința de a merge înainte, de a iubi și de a mai crede și spera în oameni și în tine.

Când te lași invadat de fantomele trecutului pregătește-te pentru ce e mai rău. Pregătește-te pentru nopți nedormite, trăiri zbuciumate, emoții contradictorii, lacrimi infinite și voci.

RAI ȘI IAD ÎN IUBIRE

Multe voci. Niște voci care îți cotropesc mintea și îți corup inima. Niște voci care nu te lasă să mai visezi. Niște voci care îți „spun" mereu să îți ții capul întors și picioarele nemișcate. Acele voci pe care le „auzi" mereu și care te urmăresc cu grijă și îndeaproape. Le porți cu tine peste tot. Așa cum păcătoșii își poartă în tăcere și chin păcatele adunate de-a lungul anilor. Așa cum o floare își poartă tulpina neclintită, dar care își pierde din culoarea petalelor.

Nu, nu sunt vocile pe care le aude schizofrenicul care, fie învață să trăiască cu vocile subconștientului lui, fie le reduce la tăcere cu pastile. Sunt vocile durerii, sunt vocile sentimentelor muribunde care încercau să mai trăiască, strigându-și cu disperare neputința. Sunt vocile întrebărilor rămase fără răspuns ale trecutului, un trecut pe care ai dori să nu fi fost așa și care îți bântuie încă prezentul.

Trecutul nu a fost și nu va fi niciodată un prieten de nădejde. Decât atunci când înveți din cele apuse și îți continui drumul înspre fericire. În rest el nu poate fi decât un dușman de temut. Un dușman atât de puternic și de perfid!

Atât de glorios și de nemilos în victoria pe care o are asupra ta, dacă îi permiți asta.

Trecutul paralizează. Paralizează ființa și înăbușe spiritul. Ucide cu premeditarea unui criminal în serie suflete și le arunca în iadul suspinelor și al regretelor fără sfârșit.

Într-o relație de cuplu nouă, trecutul nerezolvat ucide tot. Ucide planuri, ucide zâmbete, îmbrățișări și țineri de mână.
Ucide fericirea, o sugrumă, într-o ultimă suflare de speranță. Dacă vrei să te însori cu Ea, divorțează de El! Trecutul! Altminteri e poligamie. E un chin. Un chin acceptat și îndurat de amândoi până la o nouă despărțire.

Așadar, dacă vrei să te însori cu Ea, divorțează de trecut! Și fă-o cât mai repede! Pentru că cine răscolește trecutul, își plânge prezentul și își distruge viitorul.

De câte ori poți greși într-o relație?

E întrebarea ce stă pe buzele măcinate ale partenerului ce își dorește să nu fie prins. Cu mâța în sac sau în spinare. Cam tot aia e! Inconștient, visează la următoarea „mutare” greșită și nepenalizată în ochii celuilalt. Asemenea celor care pun relația de iubire la egalitate cu un joc de-a șoarecele și pisica în care ambii obosesc să mai alerge în zadar. Iar în momentul în care echivalezi iubirea partenerului cu iertarea infinită și toleranța dusă la extrem a acestuia, nu faci decât să întărești cercul vicios al „hoțului neprins” sau prins, dar absolvit. De orice vină și păcat.

O relație nu e un joc pe calculator în care apeși butonul de „restart” atunci când dai cu bățu-n baltă, reluând aceleași greșeli la infinit.

Dintr-o relație nu ieși când vrei tu, apăsând relaxat butonul de pauză și întorcându-te cu zâmbetul pe buze și mâinile în buzunar.

O relație înseamnă o conectare neîntreruptă a ființei celor doi. Iar dacă ai greșit, fii pregătit să îți asumi. O dată și bine poate fi deajuns.

„Nimeni nu este perfect". Un clișeu atât de prăfuit încât îi face pe cei mai lași să se ascundă cu comoditate și nonșalanță în spatele lui. Nu suntem perfecți. De aceea mai greșim. Important este cum greșim și de câte ori. Sau cu cine! Să greșești e ușor. O poate face oricine. Să îndrepți este mai greu. Problema este că unii nici nu vor să îndrepte ceva, darmite să se îndrepte în direcția potrivită alături de celălalt. Iar celălalt, de cele mai multe ori, acceptă și înghite mizeriile calde și servite cu eleganță de cel dintâi. Să vezi același film derulându-se în fața ochilor cu o viteză amețitoare nu te face un spectator autentic. Dimpotrivă, te transformă în propriul actor ce a uitat să joace cu atenție, scenele. Iubirea iartă. Amuzant este că unii consideră că iartă orice și oricum.

În viață poți greși de multe ori. La fel și într-o relație. Ideea e să nu ajungi acolo. Pentru că cea mai mare greșeală este să o continui, iar cea mai mare dramă este să îl lași pe celălalt să o repete.

Dacă dragoste nu e... e doar umilință!

După două palme zdravene peste față, parcă nu îți mai vine să te uiți la un film romantic cu partenerul tău. După două înjurături ferme și scoase printre dinții care nu mai scrâșnesc acum pentru tine, parca nu îți mai vine să mergeți, împreună, la o plimbare în parc. După zeci, sute și mii de săgeți otrăvitoare țintite în suflet și pe trupul plin de vânătăi, parcă nu îți mai vine să-l alinți pe cel de lângă tine în cuvinte dulci.

După atâtea zile și nopți petrecute în Iad, cu greu îl mai poți vedea pe cel de alături cu aripi de înger. Căci iadul pe care multe femei îl trăiesc alături de masculii care își bagă picioarele, la propriu, în sufletul lor, e din ce în ce mai mult confundat cu iubirea despre care ne povesteau bunicii, la o cană de ceai.

„Iubire, ți-am pregătit mâncarea!" E caldă, la fel ca obrazul încins de palmele lui. „Iubire, ce vrei să îți cumpăr de la magazin? Țigări mai ai?" Unele și-ar „cumpăra" o altă inimă. Cea pe care o au, e amanetată deja în schimbul unor promisiuni ce nu apucă răsăritul soarelui. Soare pe strada lor nu mai e de multă vreme. Nici afară și nici înăuntru.

„Iubire, ți-am pus hainele la spălat!" Pe lângă lacrimile ei, care au spălat deja aceleași buze și bluze pe care el a uitat să le adulmece.

Iubire în sus, iubire în jos. Și în stânga și în dreapta. Și în față și în spate. Numai unde trebuie, nu. În interior. O liniște căreia mulți i-au uitat numele.

Păi dacă pe ăsta îl cheamă „Iubire", mă întreb cum arată portretul perfect al urii. Căci iubire nu mai e de ceva timp. Nici atunci când ochii îți sunt învinețiți, nici atunci când inima bate la fiecare sunet de cheie băgată în ușă. Dar nu de dor. Ci mai mult de teamă. O frică ce paralizează simțurile și te transformă în robotul perfect de bucătărie și dormitor.

Iubire nu mai e de multă vreme. Atunci când sexul nu mai înseamnă mângâiere. Iubire nu mai e de multă vreme atunci când tu ești servitoarea lui, în loc ca el să îți servească ceea ce meriți, zi de zi și clipă de clipă.

59
RAI ȘI IAD ÎN IUBIRE

Când „Iubire” nu e acasă, „proasta” e tot la masă. Plângând, înghițind în sec și sperând. La o zi mai bună, la o inimă mai bună sau la o viață alături de un om care a uitat să-i mai privească ochii.

E greu! Să renunți sau să schimbi ceva. E greu să pleci sau să plece el. Cei mai mulți nu o fac. Niciodată. Însă e mult mai greu să înduri. Orice. În numele unei iubiri prost înțelese. Iadul pe care îl trăiești se poate preschimba în Paradis. Dar pentru asta e nevoie să scapi de demonii din viața ta. Unul e teama, celălalt e chiar el. Un demon cu chip de înger.

Îngerii nu îți taie aripile. Ei ți le ocrotesc. Iar dacă ale tale încă nu au crescut, ți le vor împrumuta pe ale lor.

Palmele nu se dau din dragoste!

Dacă mă iubește, va accepta tot! Dacă îl iubesc, voi accepta tot! Dar ce înseamnă tot? Te-ai întrebat vreodată?

Măștile violenței...

Există mai multe tipuri de agresivitate prezente într-un cuplu. Cea fizică, primitivă și aproape de neimaginat și de neînțeles într-o lume civilizată, cea verbală - extrem de jignitoare și umilitoare și cea psihologică care poate să pară cea mai benignă, mai ușoară, dar care, în esență, poate să capete forme perfide, insidioase și să ducă la distrugerea celuilalt.

Cauzele agresivității sunt multiple. În primul rând, moștenim un model cultural, din familie, care poate fi perpetuat, fenomen analizat de psihologia transgenerațională. În al doilea rând, toate formele de agresivitate vădesc un individ sau o personalitate cu multiple frustrări. Cel care este agresiv ascunde multe complexe de inferioritate și o stimă de sine la pământ. Nu în ultimul rând, există cupluri care dezvoltă relații toxice, în care agresivitatea de toate felurile devine un „modus vivendi".

Nu confundați însă stările general umane de nervi, trecătoare, cu o agresivitate de structură. Și în plan teologic se spune că „poți să te înfurii, dar să nu te culci cu mânia ta". Sunt unele persoane care provoacă agresivitate. Provoacă anumite stări și reacții în lanț. Un om foarte trist poate deveni agresiv la fel cum un om foarte speriat poate reacționa violent. E posibil oare să învățăm cum să „administrăm" aceste stări? Atât cele proprii cât și cele ale partenerului.

Atunci când partenerul este nervos, uneori trebuie să știm să nu spunem nimic. Să vorbești atunci când este cazul și să taci atunci când trebuie. Un partener agresiv va reuși să scoată tot ce este mai nociv din celălalt și va reuși să dezintegreze relația până în punctul în care cei doi vor ajunge să își facă rău reciproc. Un partener agresiv va reuși să te depersonalizeze și să te facă să îți pierzi individualitatea. Atunci când ajungi să accepți un comportament și o atitudine agresivă din partea celuilalt este semnul cel mai clar că te afli într-o relație toxică, o relație care te poate „ucide".

Până la urmă, accepți ceea ce ți se oferă în aceeași măsură în care accepți ceea ce ești. Este exact cazul bărbaților agresivi care au dobândit acest pattern de relaționare încă din copilărie și l-au perpetuat în măsura în care violența a fost un lucru normal și acceptat în cadrul familiei. Sau, acele femei care tolerează un tratament agresiv doar pentru că acest tip de comportament a fost „îmbrățișat" și acceptat de mamele lor. Palmele nu se dau din dragoste. Poate doar simbolic și doar la un anumit nivel subtil de relaționare. Tot ceea ce depășește acest nivel poate avea urmări grave asupra relației și asupra partenerilor.

Aceste rânduri nu reprezintă un studiu despre agresivitate și nici „know how-ul" absolut legat de cum ar trebui să faceți în anumite situații. Sunt doar niște gânduri care sper să însemne un prim pas în a învăța cum să recunoști, să conștientizezi, să gestionezi sau să ieși dintr-o relație bazată pe violență.

„Armele sunt la tine". Învață să le folosești inteligent, neagresiv.

Există oameni care încurajează, în „terapia de cuplu", palmele „din dragoste" aplicate peste „botul neastâmpărat" al consoartei. Ce mai tura vura! Îi aplici iubitei tale una bucată palmă zdravănă peste față și i-ai liniștit demonii! Ce înțelegere, ce empatie, ce iubire! Ce oameni!

E o prostie să crezi că un astfel de tratament e eficient și că singura soluție rămasă este să lași urme vizibile pe trupul celui de lângă tine.

Unde este iubirea? Despre ce fel de relație mai putem vorbi dacă partenerii ajung să își împartă pumni, ca la box? Măcar dacă ar fi și invers! Într-o altă lume, ar fi echitabil! Cum i-ai tras una nevestei, pregătește-te să primești și tu una, înapoi. Asta nu e iubire. Asta e toxicitate care urlă prin toți porii ființei.

Unii spun că femeia nu trebuie să provoace bărbatul! Serios? Dar bărbatul e un animal? Un mascul nevaccinat și scăpat din cușca ororilor? Cum adică să nu îți provoci bărbatul? Păi ți-ai luat un câine turbat alături sau un bărbat care te iubește?! Asta se traduce foarte simplu: Ți-ai provocat bărbatul, fii pregătită să o încasezi! Și asumă-ți! Cu vârf și îndesat! Iar dacă tu crezi că vei servi doar felul întâi și felul doi, imaginează-ți că urmează și „desertul"!

Ba da! Femeia trebuie să îl provoace pe bărbat! Trebuie să îl provoace la glume, la o ieșire în parc, să îl provoace în dormitor și chiar în bucătărie. Să îl provoace la mângâieri și la clipe petrecute în doi. Femeia e musai să își provoace bărbatul. Să îl provoace chiar și la o ceartă care poate alunga demonii din umbră. Asta nu înseamnă că dacă te cerți trebuie să și dai! Când ai dat cu pumnul, te-ai scos singur din joc. Ai pierdut din start. Ca bărbat și, în primul rând, ca om.

Ăsta nu e niciun rai cu îngeri care te adorm. Ăsta e iadul cel mai aprig din care trebuie să ieși. Să ieși cât mai repede!

Femeia nu trebuie să provoace bărbatul! Ba da! Să îl provoace!

La iubire!

Există prea mulți bărbați care te invită în Iadul lor și prea multe femei care acceptă, crezând că trăiesc în Rai.

Atunci când paradisul lui e iadul tău. Nici Eva nu s-a putut abține să nu muște din măr. Există o Eva în fiecare femeie pe care o întâlnești în viața ta. Așa cum există un Adam în fiecare bărbat pe care îl inviți în suflet. Important e să își lase demonii acasă. Să-i închidă și să arunce cheia.

Din nefericire, unii vin cu ei la pachet. Un fel de cal troian al sufletului. În loc să-ți aducă un buchet de flori, îți aduce unul plin cu drăcușori. Colorați, gălăgioși și cu multe nuanțe de negru și de gri.

Ar fi prea simplu să existe Shazam pentru suflete. Să le „ascultăm" puțin, iar mai apoi să primim verdictul. Din nefericire, unii îl au atât de mânjit încât nu pot fi recunoscuți. Iar dacă playlistul personal a devenit, peste noapte, unul sumbru, e cazul să schimbi vocea. Nimeni nu poate dansa pe muzică de înmormântare. Atunci când moartea sentimentelor e încununată de aceleași semne ce chinuie mintea și inima celuilalt. Nu există cupluri fără probleme. Așa cum nu există vară fără ploaie și furtuni.

Probleme în paradis vor exista întotdeauna. Iar dacă paradisul vostru s-a transformat deja într-un infern, e cazul să îl stingeți.

Atunci când lacrimile vărsate nu pot stinge focul dintre cei doi. Atunci când plouă neîncetat. În ființă. Atunci când vântul aprig al durerii bate prin suflet și rupe în două trăiri, sentimente și emoții neîmpărtășite. Atunci când norii întunecă mintea și aduc beznă în inimă.

Când umbrele se transformă în fantome ce bântuie fiecare părticică nestudiată din iubirea celor doi. Când paradisul vostru se crapă în mii de bucăți. Când porumbeii se transformă în ciori ce mușcă fără milă din amintirile voastre și din carnea ce fierbe acum, pe voi. Când mieii se preschimbă în lupi ce sfâșie din poezia voastră. Când fluturii sunt acum molii ce putrezesc în interior.

Nu este greu să îți pui o pereche de aripi și să-l faci pe celălalt să creadă că tu ești un înger. E mult mai greu să-ți lași aripile să crească, alături de el.

Probleme în Paradis au fost mereu. Când îngerii tăi se luptă cu demonii lui și invers. Unii trăiesc Raiul, iar alții dau Raiul... pe Iad.

Iar atunci când nu mai poți stinge flacăra ce te consumă acum prin toți porii, aprinde alta. Într-un alt loc și într-un alt... suflet.

Atragem ceea ce suntem. Întotdeauna. Spune-mi cu cine umbli ca să îți spun cine ești! Arată-mi prietenii tăi și îți voi arăta viitorul! Cine se aseamănă, se adună! Și lista poate continua. Așa cum și viața unora dintre noi continuă. Într-un trend mai bun sau mai puțin. Mai domol sau furibund. Cu viață sau fără sclipirea ei. Cu visuri împlinite sau visuri îngropate. De noi înșine.

Te-ai întrebat vreodată de ce atragi mereu oameni nefericiți în preajma ta? De ce sufletul tău e ca un magnet pentru suferință și mizerie? De ce inima ta lansează semnale și vibrații în Univers, ca mai apoi, tâmpiții de pretutindeni să răspundă, pozitiv, la ele?

Te-ai întrebat vreodată cum ajungi mereu în preajma lichelelor? A oamenilor ce nu îți caută în suflet. Mulți dintre ei ți-ar căuta defectele. S-ar folosi apoi de ele și te-ar pune cu botul pe labe.

Te-ai întrebat vreodată de ce ești adulmecat de șacalii emoțiilor? De mincinoși și intriganți. De oameni cu negru' în cerul gurii. De cei cu trupul neîngrijit și sufletul uitat în agonie. Atunci când tu nu ești ca ei. Nu ai fost și nu vei fi. Cu toate acestea, îi vezi în preajma ta, aievea.

Îți dau târcoale și ți-ar sări la jugulară de îndată ce ar mirosi un strop de sânge pur.

Înseamnă că ești un tâmpit la fel de mare ca ei? Înseamnă că ești la fel de rău intenționat? Înseamnă că mintea și inima ta sunt întunecate, părăsite de îngerii ce au lăsat acum demonii ființei să îți invadeze porii conștiinței? Nu!

Dacă atragi un netrebnic asta nu înseamnă că și tu ești unul. Dar, cu siguranță, într-un anumit moment al vieții tale, ai trăit un moment tâmpit. Ai lăsat garda jos și te-ai culcat pe o ureche. E mult mai greu să auzi numai cu o ureche. Așa cum este mult mai greu să vezi atunci când ochii inimii îți sunt închiși. Dacă atragi cretini în viața ta, nu înseamnă că și tu ești unul. Înseamnă că treci printr-un moment cretin al vieții tale. O răscruce de trăiri contradictorii. Momentul în care devii vulnerabil. Precum o piesă de porțelan purtată de vânturi aprige peste asfaltul pervers ce îi așteaptă căderea. Momentul în care lași ușa deschisă. Impostorii de abia așteaptă să intre. Unii vor intra tiptil, iar alții te vor cotropi cu totul.

Cum scăpam de ei? Greu! E necesar să te folosești de tot arsenalul din dotare. Îți trebuie curaj și multă conștientizare. Îți trebuie credință. În Dumnezeu și mai apoi în tine. Nu poți scăpa de ei decât atunci când cureți răul de la rădăcină. O deratizare totală a ființei. O dezinfecție a minții și a inimii. Iar mai apoi o dietă a sufletului. Pe termen lung.

Atragi ceea ce ești? Ai grijă să nu fii atras în ceea ce vor alții ca tu să fii.

Dă-i la o parte pe cei care te trag în jos pentru a face loc oamenilor cu adevărat vii în viața ta. Dă la o parte gândurile negative și convingerile limitative pentru a face loc lucrurilor pozitive. Nu vei putea niciodată să gândești, să simți și să trăiești pozitiv dacă ești înconjurat mereu de oameni și gânduri care alimentează continuu aceste stări bolnăvicioase.

Renunță la anturajul mediocru în care singur te-ai lăsat atras și fă curățenie în viața și gândurile tale. Renunță la obiceiurile proaste de până acum și la oamenii care se joacă cu mintea și inima ta, spunându-ți să renunți la visurile tale numai pentru că ei au renunțat de multă vreme la ale lor! Atrage în viața ta oameni pozitivi, frumoși, inteligenți și „nebuni". Să fii cel mai mic dintre oamenii valoroși a fost întotdeauna mult mai sănătos decât să fii cel mai deștept dintre oamenii fără idealuri! Învață să-i păstrezi pe cei care te iubesc și te invită în sufletul lor și alungă-i pe oamenii care îți otrăvesc ființa și spiritul!

Tu nu te-ai născut un prizonier. Nu ești nici prizonierul lor, nici prizonierul unei vieți nefericite și resemnate. Nu ești nici prizonierul tău. Tu te-ai născut să fii fericit! E timpul să îți revendici dreptul la fericire și iubire! Dreptul la frumusețe și dreptul de a trăi viața pe care ți-o dorești Tu și NU altcineva!

La naiba cu proștii din viața ta! Ăștia au uitat cum e să și-o trăiască pe a lor.

Într-un final, după multe lacrimi șterse, după mult înghițit în sec și după multe bătăi alerte de inimă vei înțelege că în iubire nu există Iad.

Există doar Rai.

Raiul pe care tu singur ți-l creezi, împlinindu-l alături de celălalt.

Ce fragili suntem...

Ce fragili suntem atunci când ne adie vântul prin inimă! Atunci când celălalt ne ceartă și ne atinge mintea în ceasurile cenușii ale ființei. Ce fragili suntem atunci când ne împiedicăm pe stradă sau în viață. Când ne julim genunchii și ne proptim în coate. Ce firavi suntem atunci când cineva ne bate pe umăr pentru a ne întreba cât e ceasul. Ne pierdem atât de repede așa cum amnezicul își pierde al său nume. Suntem precum o frunză lăsată în voia toamnei.

Ce fragili suntem atunci când ne lovim unul de celălalt. Când gândurile noastre se ciocnesc ușor sau zgomotos cu cele ale oamenilor ce-ți zâmbesc cu sufletul. Precum două zaruri aruncate de palme transpirate.

Ce fragili suntem atunci când ne despărțim de ceilalți! Ca o inimă cusută în mii de bucăți ce strigă după cel ce pleacă. Așa cum firele de care se mai țin acum cei doi încep să-și piardă din putere. Precum două piese de bibelou ce au scăpat de căzătură atunci când mâini neîndemânatice

încercau să șteargă praful și lacrimile așternute printre ele.

Ce fragili suntem când ne îndrăgostim! Devenim niște păpuși de plastilina pe care iubirea le modelează în forme line.

Ce fragili suntem atunci când iubim și suntem iubiți! Ne comportăm cu celălalt cu mănuși. Dar întotdeauna descălțați de pantofii murdari ai trecutului. De urmele îndoielii și de apăsarea grea a ființei ce lasă urme adânci în inimă atunci când privirea se întoarce înapoi. Sute și mii de cioburi de sticlă ce acum se confundă cu timpul.

Ce fragili suntem noi, oamenii! Uneori nu avem nevoie decât de suflarea celui de lângă noi. Doar pentru a începe să dansăm din nou atunci când am uitat cu desăvârșire sunetul muzicii celuilalt.

Cadavre peste tot...

Plin de cadavre. Peste tot. Precum un secol al morților vii. Se târăsc, ignorant, prin toate cătunele vieții. Semnele lor vitale sunt bune. Însă inima a încetat să mai bată. Morți atât de vii. Îți zâmbesc cu ochi de sticlă și buze înghețate. Oameni care au uitat să-ți zâmbească din inimă, care au uitat cât de mult pot realiza și cât de mult pot iubi. Oameni care se ascund în spatele unor măști pătate în grabă de vopseaua celor din jur. Oameni ce nu mai cred în ei, ci în oglinzi parșive. Oameni care ascultă de vorbele celorlalți în loc să își asculte inima. Ea încă șoptește. Chiar dacă ei nu îi mai simt vibrația.

Văd cadavre peste tot. Unele sunt acoperite de prea mult fond de ten. Altele sunt învăluite într-un parfum fetid. Unele își poartă cravata între două clipe, iar altele umblă pe tocuri, călcând apăsat peste gânduri. Cadavre ce calcă peste alte cadavre. În goana lor autistă după fericire.

Văd cadavre peste tot. Unele trăiesc în trecut. S-au împrietenit atât de mult cu fantomele acestuia. Se țin de mână și dansează. Un dans fără muzică. Altele trăiesc în viitorul neîntâmplat. Cu un zâmbet forțat și imprimat pe buze învinețite. Unele se agață de un fir subțire de bucurie, iar altele se agață de... viață.

Oamenii au uitat să trăiască. Acum, doar respiră. Respiră praf de dor și de regrete. Respiră în contratimp cu cei de lângă ei. Ca nu cumva suflul lor să se intersecteze. Respiră greoi și mut. Oamenii au uitat să iubească. Să se iubească. Acum iubesc iluzii. Diamante și castele de nisip. Himere ce le bântuie ființa și care se răsfiră în umbra timpului pierdut.

Oamenii au uitat să fie oameni. În primul rând cu ei. Mai apoi cu și pentru ceilalți.

Văd muribunzi peste tot. Unii și acum își caută antidotul. O seringă al cărei ser își pierde acum, efectul. Poate că nu e injecția potrivită. Poate că nu e serul care trebuie. Sau poate că ne este frică să mai fim atinși de ace invizibile.

Și totuși, singurul antidot este Iubirea. Cu asta ar trebui să fim toți „injectați”.

Dar ce te faci atunci când simți că cel de lângă tine vrea să îți fure timpul? Să te sufoce cu al lui. Să dea limbile ceasului peste cap și să te vadă îmbătrânit? Sunt cei care vor să îți cheltuie clipele, ținându-le pe ale lor sub pernă. Sunt cei care vor să îți îmbrace hainele și să îți fure aroma. Sunt cei care te sug de vlagă. De viață și de simțuri. Sunt ca vampirii ce se hrănesc cu sânge proaspăt. Niște consumatori de energie și de vise.

Ai simțit vreodată un suflu aprig și greoi în ceafă? Al celor care-ți urmăresc din umbra, pașii. Sunt ca o umbră ce înghite pete de lumină. Ca o fantoma ce îți tulbură mereu prezența. Sunt cei ce se hrănesc încet cu tine. Mușcând din suflet, mestecând inimi și fumând nevrotic, minți. Sunt ca un demon ce te invită nonșalant la o partidă de șah. Sunt cei ce te transformă într-un pion, într-un nebun ce nu îi înțelege. Uitând că tu ai fost... un rege! Sau o regină pe tabla schimbătoare a vieții.

Ai simțit vreodată răutatea celui de lângă tine? Un hoț de timp ce te ademenește cu zeci și sute de bomboane dulci. Precum cuvintele ce le aștern în suflet. Pierdute printre fapte ce-ntârzie să apară-n pragul lui. Căci mulți am dat în diabet atunci când cel de lângă noi ne promitea luna de pe cer și soarele... îmbrăcate-n zahăr. Ei au uitat că cea mai bună glazura este cea a sufletului, considerând mereu că sunt cireașa de pe tortul tău.

Există și hoți de buzunare. Ei nu îți pot fura mai mult decât ce-ascunzi în ele.

Însă un hoț de suflet este crima ființei. E patimă și plânset în pridvorul clipelor. E hoțul ce îți fură zâmbetul, timpul, mintea, inima și trupul.

Chiar și atunci când are mâinile încătușate.

Iubirea are întotdeauna timp...

Oamenii nu mai au timp de iubire. Sau de iubit. Iubim acum telefoanele. Ne cufundăm nevrotic în virtual și uităm să trăim în real. Ne ascundem după selfie-uri și ne pasăm checkin-uri prin varii locuri scăldate în gălăgia simțurilor. Ne hrănim în viteză, iar mai apoi ne mâncăm între noi. Precum niște canibali perfecți ce au uitat cum e să mai iubești.

Ne îndrăgostim de fiare vechi ca mai apoi să le conducem în primul pom de pe autostrada nebuniei personale. Ne îmbătăm cu vinuri scumpe și preferăm companii ieftine. Schimbăm măști nevrotice precum un film difuzat în reluare, dar cu alți protagoniști nefericiți. Ne punem în pat împreună și adormim singuri. Visele noastre au uitat de multă vreme să se mai intersecteze.

Acum visăm la cai verzi pe pereți, mânjind cearceaful nostru cu gânduri necurate și pătate de aerul slab al ființei. Ne trezim cu dureri de cap ca mai apoi să ne drogăm cu aceleași țigări fumate în doi. Pansate de o pastilă amărâtă de algocalmin ce așteaptă într-un colț de mobilă învechită de pașii anilor. Uităm să culegem zâmbete și să le dăm mai departe. Uităm să fim fericiți, în goana după fericire. Acum e o goană după aur. Unii și-ar construi castele numai ca alții să poată locui în ele.

Oamenii nu mai au timp de iubire. Iubirea nu e o cursă de 100 de metri. Iubirea e o cursă infinită. Linia de sosire e trasată simbolic și trebuie trecută, împreună. Oamenii nu mai au răbdare. Totul e acum o grabă dementă și o fugă obositoare după himere.

Suntem hipnotizați și atrași în cercuri parșive și infinite. Obosim mult prea repede. Încă înainte de a începe. Ne-am transformat lent în asasini ai simțurilor. Împușcăm cu premeditare inimi, iar apoi urcăm în minte.

Iubirea are întotdeauna timp. Oamenii nu mai au timp pentru iubire. Oamenii nu mai au timp... pentru ei!

Deșert în suflet și în ființă. Firicele de nisip ce parcurg drumul sinapselor încet și fără zgomot. Firicele de nisip ce ajung în inimă. Se scurg anevoios printre vasele de sânge ce țipă după un nou început. Ca o clepsidră gripată ce trebuie scuturată pentru a face loc timpului să se dizolve.

Există furtuni de nisip în toți oamenii. Unii au praf în ochi, iar alții își șterg obrajii atunci când lacrimile se transformă în pietre dure. Când două mâini nu se mai întrepătrund. Când ochii nu mai țintesc priviri și când două trupuri se răcesc sub semnul unei singurătăți, prietene cu iarna. Există furtuni de nisip în noi toți. Atunci când gândurile răscolesc alte gânduri. Când ploi aurite cad peste o piele fină ce a uitat să mai fie mângâiată în avalul ființei. Furtuni de nisip ce lasă cicatrici microscopice. Multe găuri în minte și în inimă. Puncte de suspensie ce îndepărtează iubirea celor doi și o paralizează în ecoul bătăilor de ceas. Căci dacă până acum, două inimi băteau pentru unul și același gând, mai departe ele bat separat. Ca două clopote ce nu-și mai întâlnesc clinchetul. Precum două vorbe purtate agale peste vântul ce adie prin porii trupului.

RAI ȘI IAD ÎN IUBIRE

Furtuni de nisip în iubire. Atunci când Ea a încetat să mai fie o furtună pentru tine, iar tu ai uitat să-i mai atingi nisipul cald... cu tălpile.

Cred că toți am trecut prin suferința minții și a inimii. A unei ființe încătușate de strigătul unui trup ce caută alinare. Cred că toți am avut sufletul mototolit și aruncat într-un colț uitat de lume. Un colț mizerabil unde sufletul unuia se înghesuie pentru a-l primi pe celălalt. Asemenea unei bucăți de hârtii strivite în mâinile ce nu mai ascultă de vocea noastră interioară. O hârtie mâzgălită în culori obraznice și prea stridente ochilor ce au uitat să mai privească înainte.

Cred că toți am fost împușcați în inimă cu premeditarea parșivă a impostorului de suflete. Toți ne-am ghemuit sau am îngenunchiat înaintea trecutului și al unui ego înmiresmat în balsamul neputinței. Toți am scrâșnit din dinți în fața celorlalți atunci când eram întrebați dacă suntem fericiți. Gura spunea că da, însă inima descifra cu totul altceva. Toți ne-am ferit de zeci, sute și mii de săgeți otrăvitoare și ațintite asupra noastră cu furia oarbă a celui care mânuia atât de bine arcul suferinței. De unele ne-am ferit, iar pe altele le-am încasat din plin.

Toți am picat la testul de geometrie atunci când formele din fața noastră se transformau în cugetări aspre și colțuroase. Cercul devenea triunghiul singurătății, iar ovalul un dreptunghi ce întemnița perfect două bătăi curate de inimă. Toți am fost loviți, răniți și chiar uciși în numele iubirii. În numele unei fericiri amețitoare.

Despre suferință s-a scris mult. Și s-a plâns tot atât de mult.

Cu toții am avut dureri. De spate sau de cap. De măsea sau de stomac. Însă cea mai mare durere e cea a sufletului. A unui suflet singur.

E singura durere ce îți poate paraliza, cu adevărat, ființa!

Măști triste...

Mentaliști, iluzioniști, magicieni și vrăjitori ai sufletului. Unii dintre ei provin din același „film" în care un „Hocus pocus" e mai puternic decât un „Te iubesc" atât de magic. Să faci Abracadabra din viața ta și a celui de lângă tine nu e tocmai un număr reușit. Mai ales atunci când o faci fără spectatori.

Iar atunci când singurii spectatori sunt și actori, și regizori, și asistenți și tehnicieni, e limpede că ai creat un tablou perfect al unui teatru mediocru și tragi-comic în care tu râzi, tu plângi, tu aplauzi și tot tu ești cel care trage cortina la final de show.

Magia unei relații nu stă în promisiuni deșarte și fără acoperire. Nici în cuvinte voalate atât de elegant sub licoarea dulce-amară a unui nou început. Să te lași „vrăjit" de oricine îți iese în cale nu poate fi decât un număr de magie prost în care singur te lași hipnotizat de ochii celuilalt în așteptarea teribilă a unei minuni ce nu se mai întâmplă.

„Vrăjitorul" de la colț de stradă e doar un semn acut al unei drame neînțelese de un creier „lobotomizat" și o inima indusă în eroare, atunci când singurul „păcălit" în tot acest truc al sufletului, ești tu. Cu atât mai mult cu cât efectul iluziei sau al auto-iluziei nu îți arată decât ceea ce „partenerul magician" dorește să vezi prin oglinda fermecată și prin măștile ce se reflectă în ea.

E timpul să ieșim din autoiluzie și să ne lăsăm cuprinși de magia vie a sentimentelor pe care le-am încuiat în cufărul fericirii. Departe de orice scamatorie a celuilalt. Căci în magia adevărată nimic nu dispare și nimeni nu este rănit. Nici iepurele ce se ascunde în jobenul uzat de atâtea numere, nici femeia încântătoare ce este străpunsă cu atâtea săbii ascuțite sub ochii celor mirați și mult prea veseli. În schimb, în magia neagră a unei relații, totul poate fi rănit. Într-o clipită. Începând cu mintea, continuând cu trupul, coborând în inimă și terminând cu sufletul. Atunci, cel mai aclamat și dorit număr este acela de a dispărea complet din tot acest scenariu intoxicat și sumbru.

Când singurele cuvinte aruncate „invizibil" către celălalt ar trebui să fie: Acum mă vezi, iar acum nu mă mai vezi!

Pentru că singura magie din această viață e iubirea! Iar partenerul care nu te merită, doar o iluzie.

Jocul de-a Pygmalion...

Cum ar fi dacă ai putea să editezi partenerul, asemenea unei imagini în photoshop? Să îl prelucrezi exact așa cum îți dorești tu? Atunci când nu îți mai convine ceva, să îl iei deoparte, să îl deschizi pe calculator și să începi să îl retușezi? Așa cum fotograful modern s-a obișnuit să retușeze pozele făcute cu pasiune înainte de a le expune.

Cum ar fi să începi să lucrezi la culorile acestuia? Atunci când partenerul tău devine prea închis și cu mult prea multe nuanțe de gri, să începi să îi adaugi culoare și lumină? Să îi pui mai mult albastru în diminețile monotone, mai mult verde în după amiezile ocupate și destul de mult roșu în serile și nopțile târzii din cuplu.

Să îi rotunjești din colțurile trupului și să îi șlefuiești ego-ul. Să îi mărești inima atât cât crezi de cuviință și să îi adaugi mai mult contrast. Mintea să o luminezi și să o așezi într-un echilibru perfect cu sufletul. Să lucrezi la formele acestuia și să-i modifici imperfecțiunile până la perfecțiune.

Să poți să îi ajustezi tonul vocii atunci când vrei să te alinte și să îi îngroși buzele moi atunci când vrei să te sărute. Să îi acoperi gura atunci când vorbește prea mult și să îi adaugi emoție atunci când povestește despre voi. Să te joci cu părul lui și să îl colorezi în culorile fericirii. Să poți să mărești sub lupa curiozității iubirea lui pentru tine.

Sună foarte interesant. Este un joc de imaginație pe care mulți l-ar încerca fără ezitare. Din păcate, sunt prea mulți care încearcă să își „editeze" și să schimbe partenerii lor așa cum își doresc, în viața de zi cu zi. Unii nu au nevoie de photoshop și nici de alte programe speciale.

Uităm că Pygmalion a dat viață statuii pe care a sculptat-o doar cu iubire! Toți ne transformăm, ne modelăm inconștient după celălalt numai și numai prin iubire. Iar iubirea nu impune niciodată nimic. Ea singură, iubirea, creează, modelează, dar niciodată nu forțează!

Actorii iubirii...

V-ați întrebat vreodată cum poate cineva să mimeze iubirea? Cum ai putea să mimezi ceva atât de pur? Un sentiment atât de nobil și divin? Să mimezi iubirea este o blasfemie a sufletului și a minții. Asemenea femeii care mimează orgasmul pentru a mulțumi bărbatul de lângă ea. Și totuși, iubirea este mimată în nenumărate feluri și moduri posibile. În poze editate, în declarații de dragoste, de fațadă și într-un „Te iubesc” spus din când în când, asemenea unui mecanism de ceas reglat să anunțe ora exactă.

Să mimezi iubirea mi se pare cel mai inautentic mod de a exista, de a fi și de a te raporta la celălalt prin prisma culorilor vieții. E cea mai mare minciună pe care cineva o poate servi, cu porția, altor suflete, denigrându-și în același timp, propria inimă.

Să mimezi iubirea înseamnă să dormi și să pierzi timpul, dormind. În ignoranță și durere, în frustrări și auto iluzionări, într-o stare de

continuă acedie. O veșnică nemulțumire a ființei, a impostorului emoțional care se minte, zi de zi, atât de bine încât începe să creadă și el, puțin câte puțin că este fericit, uitând de fapt să trăiască și pierzând cel mai de preț lucru: propriul sens.

„Ah, sunt fericit!" este preludiul cel mai fals al trupului și al minții, masca perfectă a omului care se uită pe sine, încercând să își aducă aminte de cel „iubit". Mimând iubirea nu faci decât să-i maltratezi sufletul, să îți sugrumi inima, să îți intoxici mintea și să anihilezi tot ce înseamnă emoție și trăire curată.

Cine mimează iubirea este un mincinos trist. Un nefericit care oferă satisfacții iluzorii în doze mici și controlate. Un impostor fără remușcări și cu un plan bine determinat. E omul care zâmbește în exterior și plânge amar în interior. Cine mimează iubirea, nu o va cunoaște niciodată cu adevărat. Cine mimează iubirea îi este frică să-și trăiască propria viață.

De multe ori, iubirea e în aer...

Tragi-comic pentru mulți dintre noi. Să știi că ai ajuns atât de aproape de o anumită persoană, să o simți ca fiind un suflet pereche din mulțimea de ființe rătăcite. Să te conectezi la celălalt atât repede și să te deconectezi în secunda doi. Ca o conexiune proastă de wireless de care depinzi atât de mult. Iar atunci când încetezi să mai depinzi de tine ești pierdut.

Cu iubirea nu e de joacă! De iubire trebuie să ai grijă ca de ochii din cap. Iubirea trebuie ocrotită și trebuie cultivată. Precum copilul nou născut și într-o continuă transformare a simțurilor, a trupului și a rostului cu care acesta a pășit în lume. Iubirea acum o ai, iar acum nu o mai ai. Depinde doar de tine cum o gestionezi. Sigur, e musai să ai și cu cine. Altminteri, morile de vânt ale sufletului se vor învârti singure în drumul tău spre celălalt.

Iubirea e în aer. Inclusiv în aerul pe care îl inspiri zi de zi. Dar ce poate fi mai frumos decât să inspiri într-unul și să expiri în doi?

Numai atunci vântul aprig al inimii se liniștește, lăsându-te purtat doar în brațele celuilalt.

Dacă ai reușit să prinzi iubirea, nu îi mai da drumul. Pentru nimeni și pentru nimic în lume. Păstreaz-o atent așa cum ceasul își păstrează neîncetat limbile timpului, așa cum oamenii își păstrează aproape îngerii și străzile praful de pași.

Iubirea e în aer. Păcat că bate vântul... Așadar: închide ferestrele orgoliului, ușile trecutului, deschide-ți mintea și coboară în inimă!

Fă ceea ce simți!

Spune lucrurilor pe nume!

Am trăi într-o lume mai bună și mai puțin nebună. O lume în care nebunia celuilalt e și nebunia noastră și nu doar o ciudățenie arătată cu degetul. Să arunci măștile jos și să le calci în picioare. Desculț fiind. Asemenea unui teribilist ce pășește nonșalant pe cioburi alese de sticlă.

Să faci ceea ce simți și să spui ce te doare. Ne-am face diminețile mai bune și serile mai aromate.

Să lăsăm orgoliul în spate. Aruncat și uitat de petele timpului. Uneori, suntem fascinați de el. Ego-ul nu întreabă niciodată. De multe ori, vorbește în locul nostru. Cu voce tare. Chiar și atunci când nu suntem înconjurați de chipuri iscoditoare. Orgoliul e o boală grea. E boala secolului. Și a sufletului. Un cancer ce distruge celulele ființei. Le arde încet și le trece prin blender-ul ignoranței.

Să gândești cu voce tare a ajuns un chin. Chinul celor care prea mult timp au stat și au înghițit rahat din partea celorlalți. Prea multe zile și nopți am stat sub același semn. Ca o teamă ce îngheață vorbe. Precum un ciocan ce ne lovește peste degete de fiecare dată când încercăm să întindem mâinile. Ca un fierăstrău ce ne taie simțurile de fiecare dată când ne apropiem de cineva. Asemenea unui canibal ce mușcă bucăți din trupul nostru de fiecare dată când vrem să fim doar... noi!

Prea mult am trăit în întuneric. În bezna în care ceilalți ne-au trimis, spunând că acolo vom găsi lumina. De prea multe ori ne-am lăsat călcați în picioare anihilând gânduri, simțiri, trăiri și emoții. De prea multe ori am ratat șanse, întâmplări și suflete pereche numai pentru că nu am făcut ceea ce am simțit la timpul potrivit. Doar pentru a nu-i supăra pe ceilalți. Pentru a nu le strica Feng Shui-ul. Timpul lor nu va fi niciodată timpul nostru.

Și totuși, cu noi cum rămâne? La naiba cu zidurile pe care mereu trebuie să le escaladăm. La naiba cu ghețarii pe care trebuie să îi topim.

La naiba cu toate porțile pe care mereu trebuie să le deschidem. La naiba cu limitările și convingerile de doi lei.

Fă ceea ce simți și caută să ai pe lângă tine oameni care simt la fel. Timpul e prețios. Nu îl irosi pe oameni ieftini. Pentru că o singură viață avem. Și ar trebui trăită de noi, nu de ei. Oamenii sunt ca vinul. Unii vin, iar alții uită să se mai întoarcă. Cu unii întinerești, iar cu alții... te simți bătrân!

Azi el e pionul, mâine e ea... Nebuna! Nici vorbă de regi și regine puși la loc de cinste. Atunci când coroana Ego-ului stă bine fixată pe fruntea amândurora. Așa se destramă cuplurile. Încetul cu încetul. Ca o pastilă amară ce își face efectul abia mai târziu. De multe ori e placebo. Când îți spui că e bine, deși nu e. Când îți spui că și mâine e o zi. Dar nu de iubit. Nevoia de control e arma letală din relațiile moderne. Unii te „împușcă" cu premeditare, alții o fac inconștient. Inconștienți sunt și ei atunci când uită că într-o relație e mult mai important să fii fericit decât să ai dreptate.

Nevoia de control...

„Hai să ne ținem de mână! Dar mergem acolo unde vreau eu!" Iar dacă nu vrea, îl tragi după tine. Fără să-ti pese că „omul tău" se târăște în mizeria proprie. Acum e și mizeria voastră.

Nevoia de control devine obsesivă. Te macină în străfundurile ființei și îți aruncă demonii în joc. Controlul nu îl vei deține niciodată. Cel puțin, nu asupra celuilalt. Atunci apar frustrările. Atunci apare neîmplinirea ta. Căci din control se nasc așteptări, urmate de dezamăgiri crunte. Iar dacă vrei să-l schimbi pe cel de lângă tine, s-ar putea să reușești. Pentru moment. La final, se va întoarce de unde a plecat. Din victimă vei deveni un agresor. Atunci când rolurile se-mpletesc morbid.

Mulți oameni încearcă să-i domine pe ceilalți când, cel mai bine ar fi să-și domine ego-ul inflamat. Ăsta nu-i sclavagism, iar partenerul tău nu e o jucărie aruncată în sertarul egoismului.

Iubirea nu controlează. Iubirea mângâie, nu pedepsește. Nu domină și nu își cere drepturi.

E trist atunci când vrem să fim deasupra situației. Să-l înnăbușim pe celălalt. S-acoperim iubirea și să o sugrumam. S-o ucidem cu sânge rece. El nu mai clocotește acum așa cum se-ntâmpla odată. Niște „criminali" ai ființei. Însă uităm că primii care mor, pe interior, suntem tot noi. Pentru că o relație nu înseamnă că celălalt îți aparține ca o jucărie. Nu-i controlați pe ceilalți! Mângâiați-i! Nu-i dominați pe ceilalți! Ajutați-i! Nu-i sufocați pe ceilalți! Iubiți-i! E mult mai simplu pentru inimă și minte.

Trăiți-vă viața! Nu o lăsați în palmele altora. Pentru că, de multe ori, cei mai mulți uită să se spele pe mâini atunci când vă salută.

„Hai să ne ținem de mână!" Țineți-vă, dar mergeți împreună, nu separat.

Dacă nu faci o echipă cu partenerul tău de dragoste în absolut orice: în pat, în bucătărie, la job, în casă și în afara ei, mai bine lasă-te de joc. Iubirea e un antrenament continuu al minții și al inimii. Din nefericire, mulți încep jocul, puțini ajung să-l termine. Pe unii îi doare capul, îi dor mâinile sau picioarele. Pe alții îi dor încheieturile și gleznele. Realitatea este că pe mulți îi doare-n fund de celălalt și de iubirea ce a fost odată.

Voi doi,
împreună, împotriva lumii
sau voi doi,
unul împotriva celuilalt?

Asta e întrebarea.

CAPITOLUL III

LA ÎNCEPUT A FOST BĂRBATUL

Să fii bărbat nu înseamnă să îi tragi una în „bot” iubitei tale pe motivul că s-a răstit la tine. Să fii bărbat nu înseamnă să fii 2 pe 2 și să mergi necontenit la sala din spatele blocului, etalându-ți mușchii în cluburile de pseudo fițe în care ai ajuns să îți faci veacul. Să fii bărbat nu înseamnă să conduci o mașină de 40 de mii de euro dacă atunci când cobori din ea nu știi să dai un „Bună ziua!”. Să fii bărbat nu înseamnă un costum scump și curat la exterior, atât timp cât restul e pătat în interior. Să fii bărbat nu înseamnă să înjuri pe la toate colțurile, spărgând semințe și sprijinind relaxat și într-o dungă stâlpii de înaltă tensiune. Să fii bărbat nu înseamnă să te lauzi amicilor tăi dubioși, spunându-le câte femei ți-au trecut prin patul nefăcut. Să fii bărbat nu înseamnă să fii mitocan cu cei pe care nu îi cunoști și arogant cu cei de lângă tine. Să fii bărbat nu înseamnă să ajungi mort de beat acasă și să îți „inviți” familia la runde de box fără spectatori. Să fii bărbat nu înseamnă că trebuie să îți ascunzi lacrimile.

Să fii bărbat înseamnă să îți înțelegi sufletul pereche atunci când are nevoie de asta cel mai mult. Să fii bărbat înseamnă să îți antrenezi mai mult neuronii și mai puțin bicepșii sau hormonii. Să fii bărbat înseamnă mai mult dragoste și mai puțin sex. Să fii bărbat înseamnă că, indiferent de mașina pe care o conduci, fie una de 40 de mii de euro sau 400 de euro, știi să îți păstrezi manierele și să fii tu, la final de zi. Să fii bărbat înseamnă să recunoști când ai greșit. Să fii bărbat înseamnă să poți spune „îmi pare rău!". Să fii bărbat înseamnă să îți păstrezi atitudinea. Înseamnă să îți asumi atât vorbele cât și faptele. Să fii bărbat înseamnă că poți plânge. Chiar dacă lacrimile tale vor fi sau nu șterse de cel de lângă tine. Să fii bărbat înseamnă să spui „Te iubesc" oamenilor dragi din viața ta. Să fii bărbat înseamnă să mulțumești în fiecare zi. Pentru tot.

Să fii un mascul Alfa nu înseamnă nimic atunci când toate celelalte sunt Beta.

Să fii bărbat înseamnă, în primul rând, să fii matur. Din nefericire, tot mai mulți bărbați se maturizează greu, unii foarte greu, alții niciodată.

Să fii bărbat înseamnă mult!

Din nefericire, mulți bărbați sunt prea puțin.

Prea puțin atunci când „prostul" de lângă ea a uitat să îi spună cât e de frumoasă.

Cum se măsoară „prostia" unui asemenea bărbat? Mi-am pus de multe ori această întrebare. Și nu pentru că fac parte din tagma purtătorilor de pantaloni, ci pentru că este o întrebare cât se poate de legitimă.

Și nu vorbim aici despre bărbatul care nu a trecut pe la școală. Nici despre acel bărbat care nu poate lega două cuvinte corect gramatical sau bărbatul simplu și neted în gândire. Asta este o altă categorie.

Aici vorbim despre bărbatul „fotbalist". Bărbatul care aleargă o viață întreagă după „femeia vieții lui" iar când ajunge la ea fuge. Fuge de ea sau de el?

Așadar, cum se măsoară infantilismul unui bărbat? În numărul alegerilor greșite pe care le face de-a lungul vieții? În felul în care își asortează atât de prost cămașa cu perechea de pantaloni sau în modul în care se comportă cu partenera lui de viață? O partenera care și-ar da și ultima suflare pentru el, iar el nu ar mișca un deget pentru fericirea ei.

Un bărbat atât de sigur pe cucerirea lui încât acum, când se vede în posesia „premiului" cel mare renunță la luptă atât de ușor. Bărbatul care se culcă pe o ureche după ce a sedus-o și a uitat s-o mai păstreze.

Acel bărbat care intră cu cizmele de cauciuc în viața partenerelor lui, iar apoi le abandonează asemenea obiectelor de unică folosință. Cum ar putea fi măsurată ignoranța acestui tipar de bărbat? Oare el știe cât este de caraghios în tot acest travaliu gratuit pe care îl parcurge? Cu siguranță, NU!

Bărbatul necopt nu va ști niciodată că este caraghios. Dimpotrivă, se consideră un tip cu capul pe umeri. Un tip special, chiar în ediție limitată.

Bărbatului copil nu trebuie să îi vorbești despre schimbare, despre alegeri, angajamente sau alte lucruri serioase. El le știe pe toate. El va reuși întotdeauna să demonteze orice mit al omului fericit. Pentru că, în ignoranța lui, el a descoperit fericirea. Și nu o va împărți cu nimeni.

Să te ferești de un asemenea bărbat nu este întotdeauna ușor. De cele mai multe ori pare imposibil. Vin deghizați atât de bine, au întotdeauna cuvintele la ei, impresionează prin apariție și au în repertoriul lor o adevărată colecție de măști. Care mai de care mai colorate și schimonosite.

Nu îi poți auzi, nu îi poți vedea cu adevărat (cel puțin nu la început), dar îi simți. Îi simți al dracului de bine. Bărbații copii nu pot iubi sau nu pot iubi matur. Ei se iubesc doar pe ei. Și nici aia nu o fac cum trebuie. Ei iubesc doar imaginea lor propagată în oglinda egoistă și obscenă în care se admiră fără pauze, zi de zi și clipă de clipă.

Revenind... Cum se măsoară infantilismul unui astfel de bărbat? Eu zic că nu se poate măsura.

E infinit și orbește totul în jurul lui!

Există bărbați care se uită la femeile de lângă ei ca la un bibelou. Și cam atât. Unii au nevoie de un manual de instrucțiuni. Instrucțiuni de „folosire" a femeii. Alții, merg pe intuiție. Și noi o avem. Însă, de cele mai multe ori, e prăfuită de un orgoliu inflamat. Bărbatul care nu știe ce să facă cu o femeie nu e un bărbat prost. Cel mult, neexperimentat.

Nu există un ghid de utilizare a femeii și nici a bărbatului. Deși, mulți caută răvașe presărate atent în pragul inimii. În iubire nu e așa de greu. „Ce ție nu-ți place, altuia nu-i face!" se aplică cu brio și aici. Un bărbat nu are multe de făcut. Decât să iubească și să se lase iubit. E valabil și în cazul femeii. Sunt bărbați care caută răspunsuri în cărți, pe la prieteni sau prin alte cercuri dubioase. Singurul răspuns e ascuns în inimă. De acolo trebuie pornit. În același timp, sunt femei care cred că au găsit răspunsul și nu vor să îi mai dea drumul! Bărbatul bun la toate, mai puțin la iubit! Bărbatul manipulat și manevrat în toate direcțiile. Există multe cupluri ce funcționează în trendul acesta.

Orice relație de cuplu presupune un schimb. Ce oferi, aia primești. Sau, cel puțin, așa ar trebui să fie. Din nefericire, nu este. Multe femei ar trebui să își pună întrebarea: Ce își doresc? Un bărbat care să le mute mobila prin casa sau unul care să mute munții pentru ele? Așa cum bărbații ar trebui să gândească foarte bine ce fel de femeie vor lângă ei. Una ce și-ar mări sânii și ar petrece toată ziua în oglindă sau o femeie ce și-ar mări zâmbetul inimii atunci când el intră pe ușă. În final, e vorba de alegeri. Inspirate sau mai puțin.

În iubire nu prea ai multe de făcut. Decât să iubești și să te lași iubit. Și repet: Înseamnă mult! Al naibii de mult! Înseamnă totul!

Ascultă iubirea...

Prea mulți bărbați care se culcă pe-o ureche. Aceștia și-au tocit timpanul.

Din acest motiv nu mai aud. Sunt surzi la tot ce mișcă în jurul lor. Uneori, ea apare dezbrăcată în fața lui, iar el îi spune să se dea puțin la o parte. Nu de alta dar jocul de pe PlayStation e mai interesant.

În iubire nu prea ai voie să dormi. De visat o faceți împreună. Cu ochii deschiși. Iar când unul pierde ritmul, te oprești pentru a-i da o mână de ajutor.

Prea mulți bărbați cred că o femeie deja cucerită va rămâne așa. E ca și cum ai ajunge de la 110 kg la 80. Dacă nu faci nimic ca să te menții după, s-ar putea să ajungi mai rău ca la început.

Prea mulți bărbați consideră că femeia poate înghiți orice. La un moment dat, diafragma sufletului va spune stop. Nimeni nu poate înghiți indiferența rutinei și să îi mai și placă. Prea mulți bărbați care o dau în bară. Pe unii nici nu îi mai interesează să dea gol. Atunci când golul din inimă nu îl mai poți umple.

Ei nu își dau seama că, nu de puține ori, mingea e în terenul lor. Depinde numai de ei cât de repede ajung la poarta inimii. De multe ori, aleg să se dea răniți. Ca un fotbalist, se prăbușesc pe terenul dragostei și mimează o durere surdă. Surzi sunt și ei atunci când jocul se încheie brusc și nu înțeleg de ce.

Prea mulți bărbați ce cred că dacă femeia îi iubește acum, îi va iubi mereu. Mereu e un cuvânt atât de greu. Din păcate, mulți obosesc prea repede.

Nu fi prost! Iubește-o!

Ești un fraier dacă te uiți în ochii ei? Ești cel mai mare „prost” dacă nu o faci tu. Alții s-ar uita în ochii ei zi și noapte. Te consideri un fraier dacă îi spui cât de mult o iubești, fără motiv? Alții i-ar spune că e mai frumoasă pe zi ce trece. Cele mai sincere declarații așa ajung în inimă. Fără niciun motiv anume. Râd prietenii de tine dacă îi aduci flori? Mulți dintre ei i-ar lua flori și i le-ar pune în păr. Atât de norocos ar trebui să te simți.

Consideri că ești un nătăfleț cu acte în regulă dacă îi faci cafeaua dimineața? Alții nu au prins dimineți cu ea. Prostule! Te crezi un pămpălău atunci când îi rostești cuvinte fine? Unii i-ar rosti povești întregi, iar alții ar picta-o în culori infinite. Ți-e lene atunci când îi deschizi portiera de la mașină? Alții i-ar deschide inima cu șurubelnița și-ar intra nepoftiți în minte. Doar pentru a fi femeia lor.

Pe unii i-ar fi trântit numai în pat. Pe alții i-ar fi pus în inimă. Pe tine te-a primit și-n pat și-n suflet.

Dacă vorbești prea mult, o săruți prea puțin. Dacă stai cu mâinile în buzunar, nu o poți ține de mână.

Nu fi prost! Iubește-o! Căci mulți ar mai iubi-o în locul tău!

Și totuși, unii bărbați fug. Fug de rup pământul ca dracul de tămâie. Cunosc și bărbați destul de inteligenți care fug de femei inteligente. Și nu pentru că „fuga e rușinoasă”, ci pentru că, în esență, fug de ei înșiși. O femeie inteligentă este o femeie pretențioasă. Pretențioasă în fața iubirii.

O femeie inteligentă știe întotdeauna cum și cât să își dozeze așteptările legate de partenerul ei. În cele mai multe cazuri de genul acesta, bărbații pierd controlul. Și ce poate fi mai dureros pentru un bărbat decât pierderea controlului? Când bărbatul pierde controlul își pierde autoritatea. Își pierde însuși rolul de bărbat. De mascul feroce. Un bărbat fără autoritate este asemenea vânătorului fără pușcă.

Femeia inteligentă are nevoie de un bărbat inteligent care să o asculte și să îi ofere afecțiune. Nu trebuie să ai doctorat pentru a fi un bun ascultător al sexului frumos, însă bărbatul nesigur pe el nu va avea niciodată capacitatea asta. Bărbatul necopt nu este în stare să se asculte nici pe el, darmite pe altcineva. El prefera rezultatele imediate fără prea mult consum de energie și de neuroni. Fuge de responsabilități, de planuri și de angajamente, pe termen lung.

Bărbatul inteligent, pe de altă parte, va reuși să facă fericită femeia de lângă el. El va asculta pentru a înțelege și nu pentru a răspunde. El va ști că într-o relație autentică este mult mai important să fii fericit decât să ai mereu dreptate.

Un bărbat nepregătit pentru o relație serioasă își va dori să manipuleze femeia de lângă el prin tot felul de tertipuri naive. El știe că în fața unei femei inteligente nu va putea fi niciodată autentic. Bărbatul acesta va fi întotdeauna secat de energie. Va fi, constant, supt de resurse și va claca. Mai devreme sau mai tarziu. Bărbatul căruia îi este frică de el, de viață și de responsabilități este asemenea bateriilor de unică folosință pe care le uzezi mult prea repede. În schimb, bărbatul matur este precum un acumulator. Un acumulator care se va reîncărca de fiecare dată de la priza femeii de lângă el. Nu este nevoie decât de o conexiune perfectă și neîntreruptă. Un ciclu cât se poate de firesc.

Există, totuși, multe femei inteligente care acceptă bărbați „proști" în jurul lor și invers.

Cât durează o astfel de relație? Numai ei știu... Cât suportă!

Și bărbații suferă...

Cei mai mulți... în tăcere. Departe de orice gând ce ar putea să îi privească în inimă. Femeile care spun că bărbații nu suferă nu au pășit cu adevărat în sufletul lor. I-au privit de la distanță și nu au răscolit suficient ființa. Unii bărbați suferă crunt. Pe unii îi doare ego-ul, iar pe alții îi doare în cot! De ce lasă în urmă.

Dar există și bărbați ce plâng cu lacrimi sărate sau amare. Se izolează într-un loc ferit de amintiri. Mulți dintre ei se închid în camera de alături. Atunci când ochii lui privesc un telefon ce nu mai sună. Unii aleg greșit. Alții sunt aleși. Unii dintre ei iubesc atât de mult, iar alții sunt iubiți, deși nu merită. Pe unii îi vezi la braț cu femei ce se uită mult prea mult în oglindă, iar pe alții îi vezi cu altele, atunci când „fraiera" îi așteaptă acasă cu o masă caldă și un trup înghețat de atât dor.

Bărbații care suferă nu se laudă. O fac pe-ascuns. Năpădiți de regrete. Majoritatea s-ar întoarce în timp pentru a schimba ceva. În tot acest timp, ar trebui să se schimbe pe ei. Uneori e prea târziu pentru ea.

Căci iubirea e ca o bestie cu mulți cai putere. E iute, gonește repede și dulce pe autostrada celor doi și nu s-ar mai opri. Atât timp cât e alimentată. Unii nu au înțeles lucrul acesta, iar multe femei încă speră ca ei să priceapă. Să priceapă iubirea și cât de mult înseamnă ea în viața lor.

Bărbații suferă. Atunci când pierd. Atunci când le pierd... pe Ele.

Ele plâng, iar ei se îmbată.

Cam așa a fost întotdeauna. Femeile au vărsat lacrimi de durere și suspin în urma nefericiților care le-au lăsat cu ochii în soare, iar bărbații și-au înecat de fiecare dată dorul și trăirile în cel mai de rahat pub din spatele blocului. Nu e tocmai o idee bună să îți cheltui un salariu întreg pentru a uita de tine și de partenera care te-a făcut atât de mult să suferi. O femeie care și-ar fi dat toți banii pe ultimul răcnet de poșetă, dar care nu a dat doi bani pe tine. La fel cum nu este o idee prea inspirata să bocești după un fraier care te-a înșelat și care a plecat cu prima femeie care i-a ieșit în cale.

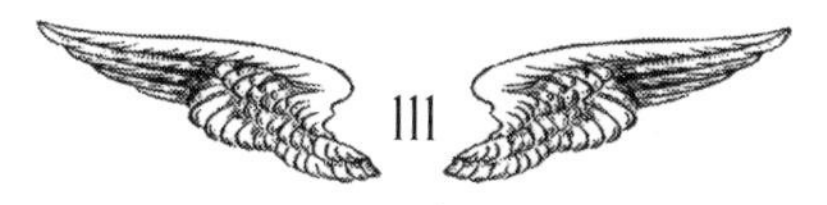

Să îți plângi de milă și să suferi ca un câine fără stăpân pentru cineva care nu te-a meritat înseamnă să te pedepsești singur. Iar atunci când ții un partener nepotrivit pe lângă tine înseamnă să ții locul iubirii ocupat. Și pentru ce? În primul rând, pentru cine? Tehnicieni corupți ai sentimentelor există peste tot. Atât în rândul femeilor, cât și de cealaltă parte. De impostori emoționali e plin pământul. Să regreți astfel de tipologii este ca și cum te-ai anula ca individ. Din contră, bucură-te și mulțumește-i celui de Sus că ai scăpat de ei. Iar pe viitor încearcă să fii mai atent, în primul rând la tine, și mai apoi la ceea ce atragi în viața ta.

Chiar zilele trecute ascultam o poveste destul de tristă a unei femei care își bocea fostul cu lacrimi de crocodil, zi de zi, noapte de noapte, de vreo trei luni de zile. Un fost care o bătea, o înșela și nu ezita să o jignească la fiecare colț sau ceartă trăită în doi. Un fost care nu făcea nimic cu viața lui, dar făcea totul pentru a o strica pe cea a oamenilor din jurul său. Să suspini după un asemenea individ e ca și cum ți-ai semna singur condamnarea. Exemplul perfect de masochism emoțional.

Oamenii nu își dau seama ce au pierdut decât atunci când se întâmplă să piardă acel ceva sau cineva. Uneori e mai bine însă să pierzi pe cineva care nu te-a meritat decât să te pierzi pe tine, crezând că merită!

Viața este frumoasă. Pe cât este de frumoasă, pe atât este de scurtă. Ea nu trebuie trăită cu bocete. Ea trebuie trăită. Trăită bine și lângă oameni potriviți sufletului tău. Să te scuturi de praful trecutului și să îngropi balastul suferinței este semnul celor puternici.

A celor care au înțeles că viața nu se termină atunci când partenerul nepotrivit pleacă de lângă tine. Ea atunci începe!

Și totuși...

Dă-mi mintea și inima înapoi. Te-ai jucat destul cu ele, pictându-le în țipete ce nu puteau fi anesteziate nici măcar cu o doză de morfină injectată într-un zâmbet fad. Dă-mi bucuria și ochii veseli înapoi. Le-ai ferit atât de bine încât am ajuns să urăsc jocul asta nenorocit de-a v-ați ascunselea.

113

RAI ȘI IAD ÎN IUBIRE

Când eu îmi arătam chipul, tu îți ascundeai ochii. Când eu îmi arătam buzele, tu îți făceai pierdută gura. Când trupul l-am așternut pe al tău, tu ți-ai ascuns mâinile. Le-ai pitit la spate. Așa cum ai pitit, cu grijă, fiecare minciună și cuvânt de dor, aruncate peste noi. Dă-mi surâsul înapoi. Te-ai folosit de el, iar mai apoi mi l-ai șters de pe pomeții fini ce fierbeau încă a tine. Dă-mi fericirea pe care mi-ai luat-o ostatică. Ai ținut-o legată și ai chinuit-o zi de zi și clipă de clipă. Ai înfometat-o și ai lăsat-o însetată de iubire.

Dă-mi tinerețea înapoi. Mi-ai furat-o și m-ai supt de energie așa cum vampirul se înfruptă coleric din încheieturi și gâturi blânde. M-ai lăsat fără oglinda ființei și m-ai îmbătrânit în ceasuri încărunțite la ore fixe.

Dă-mi timpul înapoi sau ceartă-te cu orologiul inimii. Roagă-l să se îndure și să-mi toarne picături de clipe peste pleoape. Așterne-mi momentele de bucurie ce se adună, acum, într-un mănunchi de amintiri și fă-mă să iubesc din nou.

Alo, Domnu'! Dă-mi sufletu' înapoi. Căci nu ai ce să faci cu el acum. E gol...

Îți aminteai că până și vocea lui te enerva. Semăna al naibii de bine cu cea a șefului. Ultimul îți zicea că ajungi prea târziu la lucru, iar primul îți spunea să te întorci mai devreme. De multe ori, nu mai voiai să pleci și nici să te întorci. Voiai să fii tu, singură, într-o parcare și sub un cer care îți număra gândurile atunci când lacrimile se luau la întrecere cu ploaia.

Fiecare zi era pecetluită în certuri. Mai mult sau mai puțin stridente. Uneori, și vecinii ar fi participat la ele. Atât de intense erau. Erați două păpuși ale căror sfori s-au rupt atunci când încercau să se sărute. Mâinile erau înghețate atunci când încercau să se atingă. Trupurile, amorțite. Ochii, precum două mărgele prăfuite ce nu se mai priveau pe firul inimii. Hainele, dezordonate și parcă lipsite acum de parfumul vostru.

Îți venea să pleci de fiecare dată când veneai. Căci drumurile voastre nu se întâlneau. Când tu împingeai, el trăgea. Când tu plângeai, el râdea. Când tu visai, el nu-și găsea locul prin cearceaful mototolit acum de clipe.

Când tu erai hăis, el era cea. Erați ca două șoapte ce nu se atingeau.

Îți venea să pleci atunci când nu te auzea. Își astupa urechile, iar tu îți astupai inima. Erați ca două limbi de ceas ce nu se mai întâlneau niciodată. Iubirea voastră nu mai bătea la ore fixe. Singura alarma ce vă mai trezea acum era un telefon pe care celălalt era gelos.

Un milion de motive ca să pleci. Și totuși, unul singur pentru a rămâne. Un singur motiv pentru a reaprinde o flacără în care amândoi ați suflat de zor. Uitând să mai zâmbiți de ziua voastră.

Un milion de motive ca să pleci. Unul singur pentru a rămâne și a mai fi îmbrățișat... măcar o dată.

E dreptul tău însă să stai. Să stai și să înghiți minciuni. Pe banda rulantă. Să te intoxici cu aceleași vorbe aruncate peste umăr. Un umăr pe care nu mai poți, demult, să plângi. Să te sprijini pe el atunci când totul se dărâmă în jurul tău. E dreptul tău să stai. Să primești pumni în gură și în suflet. Să te lași învinețită de aceleași palme dure.

Căci palmele ar trebui să fie un refugiu. Nu ciocane ce îți zdrobesc frânturi de gând în pauzele abrupte de iubit.

E dreptul tău să stai. Să te întorci mereu cu ochii în trecut. Să te gândești mereu la ce a fost. Să-ți ghemuiești atent genunchii în colțul camerei ce nu te recunoaște. Să pici la pat și să încerci s-adormi. Să uiți, să ștergi, să resetezi trecutul. Atunci când simți că mori, încet, pe dinăuntru. E dreptul tău să stai. Să lupți. Să te ridici și să regreți. Alegeri ce ți-au perforat ființa. Decizii ce ți-au alterat conștiința. E dreptul tău să stai. Să mai iubești la fel de mult. Iluzii transformate-n lut. Un chip cioplit și-un trup lovit de timpuri ce nu au trecut, nu au nici viitor.

E dreptul tău să stai. Să nu renunți. Să îmbrățișezi același sfârșit. Să nu mai știi cum arde soarele. Să nu mai știi cum luminează luna. Să nu mai simți nimic atunci când până și sângele îți paralizează-n vene. Să nu mai știi cât de puternic ești. Cât de frumos ai fost odată.

E dreptul tău să stai! Dar tu alegi când vrei să pleci. Să nu mai suferi, să nu mai plângi. Să nu te mai îneci...

Tot mai multe cupluri pleacă în vacanță deși, iubirea dintre ei și-a luat vacanță de multă vreme. Tot mai multe poze colorate deși, mintea și inima lor sunt în alb și negru. Declarații de dragoste dulci și siropoase pentru suflete sărate. Din ce în ce mai multe săruturi fără țineri de mână.

Mâinile tale stau cel mai bine în ale ei, nu în buzunar. Ochii tăi ar trebui să o privească pe ea. Așa cum ea ar trebui să se uite la tine, nu în oglindă. Prea multe femei ce au învățat să umble pe tocuri. Unele au învățat să și alerge. În iubire, multe se împiedică. Prea mulți bărbați parfumați și la modă. În iubire, parfumul din interior își pierde mirosul și e demodat.

Îmi doresc să văd mai mulți oameni care se țin de mână pe stradă. Mai mulți oameni prin parc decât prin cafenele. Mai multe priviri în ochii celuilalt decât în telefoane. Mai multe nopți în care el adoarme cu ea în brațe și nu cu o tabletă!

Îmi doresc mai multe săruturi în stațiile de autobuze prăfuite. Mai multe trăiri sincere decât vorbe aruncate gratuit la un pahar de vin. Mai multe emoții împărtășite și inimi care bat la unison.

Ce bine e când îți aduci aminte cât de frumos ești. Dar ce frumos ești atunci când cel de lângă tine îți reamintește asta în fiecare zi...

Unii oameni apar în viața noastră ca un semn. Un semn care ne arată cât de importanți sunt cei de lângă noi. Primii sunt o lecție iar cei din urmă... o binecuvântare! Și unii, și alții sunt trimiși de Dumnezeu. La final, le vom mulțumi și unora și altora. Însă noi alegem pe cine să păstrăm alături.

Nimic nu este întâmplător, iar tot ceea ce ni se întâmplă, la un moment dat, fie bun sau rău, este ceva ce avem nevoie să ni se întâmple la timpul potrivit.

Alege să stai cu oameni care te iubesc și nu cu oameni care îți spun că te iubesc! Alege să stai cu oameni care te adoră și nu cu oameni care îți spun că te adoră. Alege să stai cu oameni care te acceptă așa cum ești și nu cu oameni care doar te plac. Alege să stai cu oameni care nu se gândesc de două ori înainte de a te alege pe tine. Alege să stai cu ameni care te îmbracă în fapte și nu te sufocă în cuvinte dulci pe care nici ei nu le cred, la final de zi. Alege de ai! Pentru că nimeni nu o va face în locul tău.

Un bărbat care nu te respectă, nu se iubește! Se înlocuiește!

Cu cine? Cu unul mai bun. Cu unul care să te merite și la micul dejun și la cina mult așteptată în pașii grăbiți ai timpului. Atât în diminețile înmuiate în voi cât și în serile în care două trupuri înseamnă mai mult decât o întâlnire la el sau la ea. Bărbatul care nu te respectă nu se iubește. Dacă te-ar fi respectat, s-ar fi respectat în primul rând pe el și mai apoi pe tine. Iar femeile nu își doresc resturi presărate în pragul inimii de cel care susține atât de mult „iubirea" sinceră, dar se împiedică de fiecare dată în tocul ușii.

Bărbatul care nu te respectă se lasă în urmă. Pentru că el nu va reuși niciodată să țină pasul cu femeia de lângă umărul lui. Fie va „alerga" în spatele ei, resemnat fiind de un deznodământ ce bate la ușă, sau înaintea ei, mânat de un ego strigător la cer. Atunci când el consideră că e cu zece pași înaintea tuturor când, în realitate, e în spatele mulțimii incomode. Un bărbat care nu te respectă, nu poate fi iubit. Cel mult tolerat. O dramă a multor femei ce-ncremenesc în fața dragostei cu gândul la schimbarea mult dorită.

Iar când ajungi să tolerezi prea mult, uiți să accepți evidentul, ținând locul ocupat. Ocupat de un pretendent ce bate pasul pe loc în podul unei inimi deja răpuse.

Un bărbat care nu te iubește, se înlocuiește. Iar asta ar trebui să fie o regulă de bun simț a tuturor femeilor ce caută fericirea, fără a renunța la ele. O fericire ce nu o poți găsi pe întuneric sau bâjbâind nevrotic în „lipsa" celuilalt. Să ții un asemenea bărbat alături de tine e o pierdere nedemnă de timp. Mai mult decât atât, o pierdere atât de dureroasă a sufletului. Dar ai grijă cu cine înlocuiești. În multe cazuri, un copy paste e mult mai simplu, dar nu și inspirat.

Să schimbi ceva poate fi, de multe ori, ușor și fără prea multe bătăi de cap. Dar să schimbi pe cineva nepotrivit cu cineva care îți poate potrivi mintea și inima este adevăratul test de curaj al femeii care se respectă.

Sunt femei cărora le place să fie mințite și bărbați care se pricep de minune la asta. Sunt bărbați care îți recită din Shakespeare și falsează atât de rău și femei care-l iubesc pe Byron, deși nu au citit nicio poezie din el. Bărbați care te „pun" în versuri, dar uită să te „memoreze" și femei care se lasă „citite" de niște masculi cel puțin repetenți. Și sunt acei bărbați care te invită la teatru fără a şti că cei mai „buni" actori sunt protagoniștii propriilor drame. Și femei invitate la film de bărbați care pocesc romantismul fără a băga de seamă că filmul pe care urmează să îl vadă e mai lung decât dragostea ce și-o declară atât de siropos. Și mai sunt bărbați care te adulmecă și te atrag în viața lor atunci când au eșuat teribil în a intra în sufletul tău.

Sunt bărbați care te mint cu zâmbetul pe buze și cu mâna în buzunar și femei care închid ochii și își acoperă urechile în numele unei iubiri greșit înțelese. Acei bărbați care te ademenesc în patul nefăcut și imprimat de promisiuni mărunte și acele femei care acceptă totul și orice de dragul de a nu rămâne singure.

Sunt bărbați care pleacă după țigări și se întorc a doua zi, iar alții care merg la „pescuit" și nu se mai întorc deloc. Și femei care îi cred, atunci când singurul răspuns primit între două lacrimi aruncate în telefon e și răspunsul potrivit.

Iar unele se și mărită cu ei, punându-și voalul minciunii și umbrele măștilor peste față.

Și mai sunt bărbați care mint cu nerușinare și lovesc tot ce le stă în cale și femei care se mint singure când ele văd doar calea asta. Pentru că așa cum mint bărbații așa se mint și femeile. La început mai puțin, iar mai apoi din ce în ce mai mult. Iar atunci când crezi într-o minciună ai încetat să crezi, cu adevărat, în tine. Deși, e lesne de înțeles că uneori trebuie să te „arzi" pentru a descoperi ce se ascunde în spatele cortinei vieții.

Cum mint bărbații? Așa cum le permit femeile. Iar la final de poveste, amândoi au înghițit aceleași drame. Pentru că nu există dramă mai acută decât aceea de a te minții singur.

Amenzile sufletului sunt cele mai usturătoare. Mai ales atunci când se adună la dobânda minții și a inimii. Dacă ai luat o amendă în trafic e posibil să nu fi fost atent. Dacă ai luat două sau mai multe, ori ești masochist ori inconștient. Sau amândouă. Sau, mai rău, îți place. Există șoferi buni la fel cum există șoferi mai puțin buni. Șoferi care trec pe roșu și cei care încalcă orice altă regulă de circulație.

În iubire e aproape la fel. Parteneri buni și parteneri nepotriviți. Dacă te grăbești, s-ar putea să dai cu bățul în baltă. Dacă te miști prea încet, vei fi claxonat asiduu de cel de lângă tine. Atunci când treci pe roșu, vei fi taxat. Însă, de cele mai multe ori, vei fi iertat. Femeile iartă. Închid ochii, înghit amarnic în sec și iubesc. Iubesc al naibii de mult. Chiar și atunci când te îndepărtezi de inimile lor, gonind ca un nebun înspre...o alta! Nu e amuzant. Știu. Dar nicio tragedie. Mintea e într-o continuă luptă cu inima. În cazul femeilor, mintea cedează prima. Se da bătută. La bărbați... pică amândouă. Atunci e grav. Când nu mai știi ce simți. Când totul e în ceață, iar sufletul se zbate în zadar.

Ar fi frumos să fim la fel de atenți în relația de cuplu așa cum suntem atenți atunci când trecem strada. Ținem cu dinții de viața noastră însă, de cele mai multe ori, nu dăm doi bani pe viața celor de lângă noi. E ușor să strici. E mult mai greu să construiești la loc. Nu și imposibil. E ușor să treci pe „roșu" și să încalci legile iubirii împărtășite. Unii nu o fac nici măcar elegant. Unora le pare rău că au făcut-o. Altora le pare rău că au fost prinși.

Ați văzut vreodată femei care să încalce regulile în trafic? Prea puține. Femeile, în general, le respectă. În cuplu e la fel.

În iubire nu există semne de circulație. Nu există indicatoare și nici semafoare. În iubire există un el și o ea ce ar trebui să se respecte și să se iubească reciproc.

Pentru că în iubirea adevărată nu există decât o singura „regulă": Obligatoriu înainte și împreună! :)

Din nefericire, unii aleg să treacă pe interzis.

Există o mulțime de bărbați care au probleme cu soția. Unii dintre ei, cu soția altora. :) Mulți dintre aceștia se consideră nefericiți. Sau neînțeleși. Dar ce poate fi mai dureros decât atunci când ai probleme cu... amanta? Amantele ar trebui să reprezinte preludiul cel mai fin înspre o viață în care bărbatul primește afară ceea ce crede că nu a primit înăuntru.

O amantă e musai să te asculte, să te alinte, să îți spună cât de frumos și deștept ești și să nu te contrazică. Sexul nu trebuie să lipsească. Cu cât e mai des și bun cu atât șansele de a nu te întoarce în brațele soției cresc. Amanta trebuie să fie un refugiu și nu un câmp de luptă. Cel puțin, asta caută bărbatul „plecat de acasă". Chiar dacă nu pentru mult timp. Un bărbat care are o amantă este deja un bărbat ce are probleme. Dar un bărbat care are o problemă și cu amanta este un bărbat... terminat!

Visul oricărei amante este să devină, la un moment dat, soție. De multe ori, acest vis se transformă într-un coșmar veritabil. Visul oricărui bărbat este să își găsească amanta perfectă. Nu există! Asta nu înțeleg mulți.

Din capul locului, amantele sunt „defecte". Acceptă din start un compromis împărtășit, îmbrățișează iluzoriu jumătăți de măsură ce nu se mai transformă într-un întreg, își oblojesc rănile singure și... plâng. Al naibii de mult! Unele mai mult decât soțiile. Diferența este că soțiile plâng că nu mai sunt iubite, iar amantele plâng ca să fie. Până la urmă, toți trei suferă. Aici e asemănarea. Bărbații ar trebui să înțeleagă că nu îți poți clădi fericirea pe nefericirea altora.

Iar dacă ego-ul este satisfăcut din plin, la final de zi, ființa va rămâne goală.

Să fugi în brațele alteia nu te scapă de probleme. Dimpotrivă. Te lovești de altele. Unele poate mult mai mari decât cele de acasă. :) Amantele ar trebui să înțeleagă faptul că, în cele mai multe cazuri, ele nu sunt iubite, ci doar folosite. Lucrurile folosite mult și „uzate bine", într-un final, se aruncă.

Nu există amante fericite. Numai femei consolate. Unele pentru o noapte, iar altele doar pentru un weekend.

Nu există bărbați fără probleme așa cum nu există cupluri fără probleme. Iar problemele întotdeauna se rezolvă acasă, nu în „vecini".

Mulți bărbați înțeleg că amanta perfectă nu o găsești în altă parte, ci acasă!

Mai nou, unii bărbați își „țin" soțiile pe Facebook, iar amantele pe Instagram. Unii se vor întreba ce anume e mai tare? Facebook-ul sau Instagram-ul? Dacă pe Facebook, soția postează poze cu flori pe care le trimite prietenilor din listă, pe Instagram amanta postează poze cu florile pe care le-a primit de la... el! Până la urmă, tot despre flori este vorba. Mai precis, de două. Una mai ofilită, ce și-a pierdut din miros și a uitat să mai fie udată, iar cealaltă... o floare tânără ce îți astupă porii la prima atingere. Cam așa vede bărbatul diferența dintre cele două. Dacă prima și-a pierdut din petale și din aroma, cea de-a doua trebuie îngrijită și vizitată la timp!

Prima e ca serotonina. A doua, precum dopamina. Cu prima ai adunat amintiri, ai împărtășit atât bune cât și rele, ai râs și ai plâns în același ritm îmbrățișat de voi. Cu a doua ai simțit că trăiești din nou.

Eu nu cred că ai uitat niciodată. Sunt mulți bărbați care își visează viața în loc să și-o trăiască. Pentru că, de multe ori, ajungi să uiți cine te așteaptă acasă și în pat.

Soția ar trebui să fie iubită. Asta nu se uită. Că doar e a ta. Nu degeaba v-ați jurat credință. Și la bine și la rău. Și în rai și în iad. Problema este că unii bărbați sunt la rău cu primele și la bine cu celelalte. Mecanismul e dat peste cap și înjumătățit.

Așa e și fericirea. Împărțită și fracturată în mii de bucăți aruncate peste inimi frânte. Atunci când uiți că soția ar trebui să îți fie și cea mai bună amantă.

Soțiile nu ar trebui ținute niciunde. Nici pe Facebook și nici pe Instagram. Soțiile ar trebui „ținute" în suflet, iar amantele... cât mai departe!

Nu am înțeles niciodată satisfacția pe care o poate avea femeia-amantă. Pentru mine e femeia second hand sau femeia „adorată în pauze". E „cealaltă femeie". A doua spiță de la roată sau, în unele cazuri, chiar și a treia. Femeia care se mulțumește cu jumătățile de măsură servite de celălalt. Un celălalt care își uită de fiecare dată cămașa în dormitorul ei, dar nu uita niciodată să își ia sufletul atunci când pleacă înapoi acasă.

Femeia amantă visează întotdeauna cu ochii larg deschiși. Visul ei a fost mereu acela de a deveni „Femeia" sau soția cu pricina. Multe nu își dau seama că atunci când acest lucru se întâmplă (dacă se întâmplă) ele nu fac decât să lase locul de amantă liber. Liber pentru o alta din viitorul mai mult sau mai puțin apropiat.

Amanta reprezintă femeia inconștientă și mulțumită în neliniștea ei. Satisfăcută de rămășițele de atenție presărate în restaurantul romantic sau de lux în care înghite, pe lângă bunătățile culinare din meniu, o serie de promisiuni îndepărtate și cuvinte rostite cu grijă. Superficială în gândire și în simțiri, dar cu sufletul deschis durerii. Pregătită sau nu pentru cele mai crunte dezamăgiri, ea plânge în coridorul lung și rece, fără spectatori.

E femeia tampon sau surogat. Un surogat al sufletului de bărbat pe care îl acceptă necondiționat în culorile cele mai închise ale cotidianului. Sexy și rafinată pentru celălalt, dar niciodată pentru ea.

Femeia amantă este femeia plină de calități. Este femeia care așteaptă, rabdă, înghite, ascultă, înțelege, apreciază, consolează și speră... dar nu iubește. Pentru că dacă ar iubi, s-ar iubi în primul rând pe ea. Iar dacă începi cu tine este imposibil să ajungi pe locul 2.

Există amante bune și amante foarte bune. La fel cum există amante proaste sau neinițiate Majoritatea sunt singure. Nefericit de singure!

Dar cele mai bune amante sunt cele care își înșală soții cu gândul tot la ei.

Și totuși... De ce înșală bărbații?

Pentru că „pot", ar zice unii sau, pur și simplu, e în natura lor de vânători nesătui și într-o continuă agitație programată de perpetuare a speciei. Pentru că sunt niște nesimțiți fără scrupule ar zice alții sau pentru că sunt niște ticăloși afemeiați, ar spune femeile ce au gustat amar din prăjitura trădării si a suferinței.

Fără doar și poate, unii bărbații înșală. Mulți sau multe nu știu faptul că doar un procent de 12% ajunge acolo, indiferent de femeia pe care o au lângă ei și indiferent de ce anume face aceasta. Fie că vorbim de femeia pe tocuri și cu o atitudine cel puțin aristocrată, de femeia finuță și cu un aer ușor inabordabil sau de femeia bună la toate. Restul procentelor se pliază îndrăzneț pe un șablon reprezentat de varii motive colorate.

Până la urmă, cred cu tărie că întrebarea legitimă este, mai degrabă: Care sunt „motivele" pentru care un bărbat își înșală consoarta? Aici e punctul de plecare și de rezolvare a

multor probleme ce pot duce la un asemenea comportament. Iar dacă faci parte din categoria celor care își „împing" bărbatul în direcția asta, poate ar fi bine să ții cont de anumite aspecte. Deși nu ar trebui să existe motive de infidelitate, ci nu numai motive de despărțire, mecanismul e inversat tot mai des în cadrul cuplului modern.

Bărbatul neapreciat

Cu siguranță l-ai apreciat atunci când l-ai „luat". Dar atunci când încetezi să o mai faci, în mintea bărbatului de lângă tine se produc niște mecanisme psihologice primare, asemănătoare cu acelea ale copilului care nu mai primește atenția și aprecierea cuvenite din partea părinților. Au existat multe cazuri în care copiii neapreciați de părinții lor au recurs la tot felul de acțiuni mai mult sau mai puțin rebele. Unii dintre ei au încercat chiar să comită acte de suicide, iar alții au dat buzna în coridorul școlii, împinși fiind de o furie „patologică" ce i-a determinat să recurgă la acte violente. Un bărbat neapreciat este un bărbat în stare de „orice". Iar dacă ai ajuns să-ți apreciezi mai mult colegul de serviciu, fii sigură că bărbatul din fața ta își va găsi o femeie care să-l aprecieze atunci când tu ai încetat să o mai faci! Fie că e la serviciu sau acasă... la ea!

Bărbatul neglijat

Ai putea să îl pui în același rând cu cel neapreciat. Diferența este că cel neglijat suferă o „traumă" infinit mai mare. Nu există amprentă mai aspră decât cea lăsată de „palma indiferenței". Bărbatul neglijat e practic, inexistent în fața femeii. E bărbatul care ajunge să bifeze doar anumite roluri, în caz de nevoie, în rest fiind scos din „ecuația cuplului", cu brutalitate.

Un bărbat neglijat înseamnă un bărbat ineficient. Se simte invizibil în fața femeii de lângă el, iar semnalele pe care acesta le ridică nu ajung sub nicio formă sub ochii închiși sau nasul înfundat al partenerei. Să-ți neglijezi bărbatul înseamnă să îl ștergi ușor cu radiera minții și a inimii de pe foaia îndrăgostiților și să te doară-n cot de nevoile lui. Indiferent despre ce nevoi e vorba. Un bărbat neglijat este precum o haină pe care o agăți pe umeraș și o arunci cu nepăsare în colțul cel mai întunecat al șifonierului. Problema este că nu toți bărbații rezistă eroic la mirosul naftalinei, iar unii dintre ei își vor căuta loc în „dulapul" unei alte femei!

Bărbatul „inferior"

Sunt multe femei care își arogă, tendențios, aere de superioritate în stânga și în dreapta. Nu este neapărat un lucru rău. Să îți păstrezi o anumită atitudine „demnă" în fața celorlalți și să nu îți „sufli mucii" pe oricine, te poate salva de multe situații neplăcute. Dar să o faci sistematic în fața bărbatului de lângă tine mi se pare o greșeală „strategică" cu un deznodământ, de cele mai multe ori, crunt.

Să îi arăți tot timpul „iubitului" cât ești tu de deșteaptă și să îi sugerezi cât este el de prost, nu face casă bună cu iubirea dintre doi oameni. S-ar putea ca la un moment dat să se sature. Atât de „fițe" cât și de tine! Iar brațele unei alte femei mult mai „simple" ar putea reprezenta un remediu perfect pentru bărbatul care se simte net inferior în fața femeii „care le știe pe toate". Chiar dacă este vorba de un remediu temporar.

Și dacă totuși ți-ai găsit un bărbat ce nu îți poate oferi emulații intelectuale sau chiar spirituale, cel mai bine ar fi să închei relația și să nu vă mai chinuiți reciproc!

Bărbatul „abstinent"

Și nu pentru că el nu ar mai vrea să se arunce în brațele tale calde și să îți adulmece trupul, ci pentru că tu nu îi mai oferi aceste momente. Un bărbat „privat" de sex poate deveni un „prădător" periculos. Cu atât mai mult cu cât instinctul de vânător se activează sub amprenta unei „pauze" provocate. Până la urmă, de ce nu ți-ai dori să faci dragoste cu partenerul tău? Unele femei folosesc această „strategie neinspirată" pentru a-și „pedepsi" simbolic bărbații.

Prost este că, în același timp, se pedepsesc și pe ele. Și mai prost este că, recurgând la aceste metode primare, mulți bărbați găsesc rapid soluții. Și nu trebuie să fie neapărat un trup perfect sau o minte strălucită. Atât timp cât actul în sine e bifat! În esență, atât bărbații cât și femeile se gândesc la sex doar că subiectele lor de discuție sunt diferite!

Bărbatul „folosit"

Vorbim aici despre bărbatul care primește „roluri" bine definite din partea femeii de lângă el. Fie că vorbim de bărbatul „taximetrist", bărbatul „bucătar", bărbatul care face comisioane sau bărbatul care trebuie să își satisfacă partenera. Un bărbat nu trebuie să aibă doctorat pentru a simți că este folosit. Sigur, nu e nicio problemă să gătești pentru femeia „visurilor" tale la fel cum nu este nimic rău în a merge să faci cumpărăturile atunci când ea nu poate sau nu are chef. Nu este o tragedie să mergi să plătești facturi sau comisioane la fel cum nu este un capăt de lume atunci când bărbatul e dorit în pat. Majoritatea adoră ultimul aspect.

Însă atunci când toate acestea se repetă într-un mod „barbar" și condiționat de femeia „impunătoare", orice bărbat ar spune stop. Iar dacă totul se desfășoară doar într-un singur sens, e foarte posibil ca bărbatul „folosit" să se facă util în fața alteia!

Bărbatul neiubit

Cred că la asta se rezumă totul. Iar dacă ai ajuns să nu îl mai iubești, de ce îl mai ții pe lângă tine? E ca și cum ai încerca să hrănești o pasăre de lemn. Bărbatul neiubit e un bărbat „mort". Atât în fața ta cât și în fața lui. E bărbatul care a pierdut tot sau care nu mai are nimic de pierdut. Iar atunci când „goana" după fericire și iubire se reactivează în sufletul bărbatului neiubit, singurul „antidot" pentru toată această stare este reaprinderea flăcării dintre cei doi sau aprinderea unui foc în altă parte. Un bărbat neiubit nu se poate ține la casa omului. Nu e corect și nici inteligent să o faci. Iar dacă femeia nu are de gând să plece, nu ar trebui să se mire atunci când bărbatul o face.

Desigur, există mulți alți factori ce pot declanșa infidelitatea bărbatului de lângă tine. Trădarea emoțională este întâlnită și în rândul bărbaților, chiar dacă e specifică, mai mult, femeilor. Lipsa comunicării, atunci când ajungi să împărtășești mai mult cu cei din exterior decât cu „cel ales". Dar aici vorbim despre bărbații care înșală (fizic).

Sub nicio formă nu am încercat să le iau apărarea și să le cânt în strună. E bine de știut că mai bine închei un capitol și întorci foaia decât să ajungi la o „dragoste cu năbădăi". Femeile ar trebui să înțeleagă aspectele menționate mai sus, să oprească tirul „nevinovat" al autovictimizării. De cele mai multe ori, e mai ușor să te plângi decât să iei măsuri. Stă în natura noastră. Din acest motiv oamenii aleg întotdeauna lucrurile simple.

În același timp, există și bărbații care înșală, iar apoi le pare rău. Dar nu pentru că au făcut-o, ci pentru că au fost prinși! Aceștia se numesc parteneri nepotriviți și ar trebui evitați din capul locului. Destul de greu, dar nu imposibil. La fel cum există și femei ce calcă strâmb și împiedicat. Până la urmă, bărbații care înșală o fac tot cu femei. De unde și vorba că: „Bărbații nu păcătuiesc cu femei cuminți".

Nu există bărbați care să nu fi greșit în viață. Există numai bărbați ce consideră că tot ce au făcut a fost bine. Bărbați care au pus Ego-ul pe cel mai înalt piedestal.

S-au pus pe ei în fața celorlalți, uitând de unde au plecat și unde trebuie să ajungă.

Bărbații învață din greșeli așa cum femeile învață din greșelile pe care le fac bărbații atunci când sunt împreună cu ele. :) Unele greșesc atunci când continuă aceeași șaradă gratuită, iar altele greșesc când înlocuiesc cu altceva. De obicei, mai rău, neștiind că, de multe ori, vina o poartă și ele, nu doar purtătorii de pantaloni.

Bărbații se maturizează odată cu vârsta? Nu neapărat. Unii se prostesc mai rău pe măsură ce înaintează în tropotul anilor, iar alții se maturizează împreună cu femeia pe care o au lângă ei. Sunt bărbați care ar mătura pe jos cu mine, citind această afirmație. Mi-o asum. Femeia te ridică, femeia te coboară.

Te ridică pe culmile cele mai înalte ale ființei sau te coboară pe treptele cele mai de jos ale mizeriei personale.

Bărbații care afirmă că nu au greșit niciodată sunt niște mincinoși. Acesta e și motivul pentru care nu își vor recunoaște vreodată vina în fața celorlalți. Sunt cei care au „biruit" deja viața și tot ce înseamnă ea. Pentru ei nu există semne de întrebare.

Există numai semnul exclamării, atunci când tot ceea ce experimentează, trăiesc și poftesc nu reprezintă lecții de viață, ci doar întâmplări ce li se cuvin.

Sunt bărbații care așteaptă mereu cadouri și laude din partea celorlalți, uitând să fie ei un cadou și o laudă, în primul rând pentru ei.

Bărbații care greșesc sunt neexperimentați? Probabil. Atunci când greșesc o dată, hai și de două ori. Însă atunci când persistă în alegeri greșite și deja vu-uri, povestea capătă un alt tâlc.

De cele mai multe ori, nu știu că au greșit. Pentru asta e nevoie de un proces amplu de conștientizare și de zdruncinare a ființei. Multe capete azvârlite pe toți pereții, multe julituri, multe vânătăi și funduri ce lovesc podeaua. Cei care „greșesc" conștient fac parte dintr-o altă categorie. Una periculoasă. Plină de umbre și de fantome ce te bântuie necontenit. O categorie grea sufletului. O categorie ce alienează minți și pune sub semnul sclaviei, inimi derutate.

De cei din urmă e greu să te ferești. Iar dacă te-ai lovit de ei și ți-ai luat-o în bot, nu înseamnă că ți-ai învățat și lecția. Lecția o înveți atunci când alegi să spui un nu răspicat.

Cum arată un bărbat care a greșit? Arată bine! Atunci când conștientizează că a greșit și încearcă să-și repare grozăvia, fără să o repete. Arată rău! Al naibii de rău atunci când „greșește" continuu. Atunci când alegerile lui calcă peste cadavre și împrăștie toxicitate și fum de neîncredere în inima rănită a celuilalt.

La final, nu există niciun ghid pentru bărbatul care greșește. Există conștientizare, bun simț, o minte și o inimă deschise, o leacă de dezvoltare personală și multe lecții de viață. Mai pe scurt, maturizare.

Nu există bărbați perfecți. Există însă, alegeri greșite. Alegeri ce te pot transforma în cel mai imperfect bărbat posibil. Chiar și pentru femeia care și-a amanetat sufletul pentru a-ți fi ție mai bine.

Bărbații sunt ca restaurantele. Unele se respectă, au meniul complet și servirea pe măsură. Altele, te atrag de la început cu reclame gratuite, iar mai apoi, aproape că te înjura când vrei să comanzi ceva. Unele sunt curate precum o lacrimă scăpată între două pahare de vin, iar altele... Sunt mizerabile! Dacă vrei să nu mori de foame, va trebui să comanzi înainte de a ajunge. Cam la asta se rezumă și faptele unora. Sunt înnobilate de cuvinte alese. Asemenea unui sertar plin de ingrediente exotice. Chiar dacă lipsesc cu desăvârșire. Degeaba folosești pahare de Murano dacă șampania e măsluită.

La unele te duci cu drag, iar la altele nu te mai duci deloc. Atunci când îți dai seama că iubirea a expirat de multă vreme.

Din nefericire, realitatea e alta. Există femei ce frecventează același local. Același meniu aruncat între două vorbe de duh și aceleași minciuni servite ca desert. Ca mai apoi să se întoarcă acasă și să își bage două degete pe gât.

Nu cred că mâncarea e de vină și nici restaurantul. De multe ori, femeia e singurul complice la nefericirea ei. Atunci când prostul de lângă ea a uitat să îi șteargă lacrimile și să-i aducă zâmbetul pe buze.

Femei ce au uitat cum e să mai zâmbești. Încă așteaptă. Așa cum ai aștepta o ciorbă deja acrită și reîncălzită.

Unele restaurante te avertizează de la început că: „Aici nu se fumează!”. În altele ești luată la mișto atunci când îți aprinzi, ușor, tigara. Cu bărbații e la fel. Ar fi mișto ca unii să poarte o siglă pe care scrie mare și îngroșat: „Aici nu se iubește!”. Măcar știi de la început unde intri. Căci în inima nu vei intra așa de repede.

Dragi femei, nu mai frecventați restaurante ieftine! Restaurante care și-au bătut joc de voi din clipa în care le-ați călcat pragul. Aveți grijă însă și cu cele de lux! Uneori, plata e pe măsură.

Pentru că, într-o relație nepotrivită, primești nota de plată la final! Fii pregătit să plătești mai mult decât te ține buzunarul sufletului!

Băieții „răi"...

Femeile (bune) adoră „băieții răi". Sau, cel puțin așa spun scrierile. Între băieții buni și cei răi este o linie fină. De cele mai multe ori sesizată doar de femeia care îi alege. Nu de puține ori femeia este pusă să aleagă între primii și cei din urmă. Așa cum ai alege o bluză din dulapul îmbibat de mireasma ta. Astăzi o alegi pe cea albastră și pătată în culorile unei liniști de temut a ființei. Atunci când îți dorești să nu fii remarcată de ochii ce sunt ațintiți năvalnic asupra ta.

Mâine o vei alege pe cea roșie. Pentru a epata și a dezmierda priviri curioase. O bluză ce sare în ochii însiropați de atingerea imaginară a unui trup ce așteaptă mângâiere. Albastrul e liniște. Roșul e furie. O furie ținută sub control. Cel puțin la nivel inconștient. E revoltă. Revolta minții și a inimii. E evadare. Evadarea trupului. Ca o cursă nebună contra cronometru. O săritură dementă cu parașuta în golul dintre două bătăi de inimă. Un cardio dus la extrem al ființei. Albastru e îmbrățișare. Roșu e adrenalină. Unul e precum cafeaua de dimineață, iar cel de-al doilea... vinul sec și tare de la miezul nopții. Ambele culori sunt îmbrăcate în iubire. Însă fiecare o manifestă în felul ei.

Nu cred în băieți buni și băieți răi. Cel puțin, nu totalmente. Băieții buni sunt cei care încă își doresc să vadă cum e să fii rău. Cei răi sunt băieții care, în esență, se străduie să fie buni. La final de capitol, toți devin bărbați. Unii mai mult, iar alții mai puțin.

Femeia, indiferent pe cine alege, trebuie să fie conștientă că în fiecare dintre cei doi există pete de culoare diferite.

Iar atunci când ajungi să guști și să înțelegi nuanțele, vei reuși să iubești pictura și nu doar culorile!

Există și bărbați buni la toate!

Femeile sunt „înnebunite" după genul acesta de bărbat. Cel puțin așa zic toate! Cine nu își dorește un bărbat bun la toate în viața lui?! Cel care îți schimbă becul ars din bucătărie, îți repară carburatorul de la mașină, îți schimbă starea de spirit și unge o inimă ce a început să scârțâie.

Bărbatul bun la toate se distinge din mulțimea agitată de bărbați buni de „nimic". Așa se laudă majoritatea. Și dacă nu ai probat unul în viața ta, mai este timp. Sau le poți întreba pe femeile ce au dat peste unul ca el. Iar dacă-n societate apare ca un victorios demn de invidiat, acasă s-ar putea să nu fie decât un alt bărbat șters și agasat de infinitele doleanțe ale femeii de lângă el. Acele femei care nu au înțeles că nu e inteligent să te lauzi cu bărbatul tău decât atunci când îl ții pe post de accesoriu. Și cu toții știm că accesoriile sunt schimbate, mai devreme sau mai târziu! Tipul acesta de bărbat e mai mult pe lângă femeie, decât împreună cu ea.

Când ești bun ești luat de prost, iar când ești prost nu prea mai ai cum să fii bun. Aproape un paradox amuzant al bărbatului ce trece de la un rol la altul și care se transformă subit din bărbatul cel mai „dorit", într-unul folosit!

Asta merită bărbatul bun la toate. Iar dacă ești bun la toate, s-ar putea să nu fii bun la una singură!

Și totuși, ce te faci atunci când întâlnești bărbatul bun la toante?

Sunt cei care te invită în Mall. Nu în suflet. Principalul lor job e frecatul mentei. De obicei, o freacă în grup sau în pauzele frenetice de sală. La sală toți încearcă să arate diferit. În oraș, toți arată la fel.

Ei nu știu că dacă îți încordezi prea tare mușchii riști să îți explodeze creierul. Unii nu îl au. Ar face numai zgomot degeaba. Nu au nicio treabă cu seducția. Se uită direct în decolteu. Mărimea lui e direct proporțională cu fanteziile gratuite în care se alintă noapte de noapte atunci când bifează sec o altă cucerire „remarcabilă".

Ei nu citesc. Nu îi interesează. Consideră că te pot citi dintr-o privire. Sunt cei care te claxonează din mașină și te fluieră ca pe stadion. Naivele întorc capul. Unele și-l frâng, iar altele se împiedică în fuga lor exaltată înspre portieră. De ce să își „obosească" tocurile de 15 mergând 15 km pe jos sau cu autobuzul plin de transpirația cotidiană?! Nu e mai bine că au găsit un șofer? Mulți dintre ei vor să le ducă acasă. Acasă la ei. Unii reușesc din prima, iar alții încă mai apelează un număr la care nu răspunde nimeni.

Nu se dau bătuți niciodată. În mintea lor există o competiție continuă. Inima e descalificată din start din moment ce a căzut în pantaloni. Sunt prea plini de promisiuni și mult prea goi de adevăr. Se feresc de responsabilități și fug de angajamente mai rău și mai repede decât un câine turbat după o pisică.

Sunt pescari de weekend. Nu de performanță. Ei nu visează la captura cea mare. Pentru ei, orice captură e bună. Atât timp cât le cazi în plasă. Ăsta-i braconajul simțurilor. Chiar dacă ei nu sunt conștienți de asta. Sau sunt și se

lasă purtați de valurile lenei, al veșnicei copilării, o copilărie prelungită, batjocorită, căci adevărata copilărie are idealuri și mai ales are bucuria de a trăi, de a înfăptui.

Există bărbați buni la toante? Cu siguranță. Iar toantele îi adoră!

I-ar pune pe un „piedestal” și le-ar crea un top special. Eu l-aș numi, topul bărbaților repetenți.

Nu mă refer la cei care nu s-au împăcat atât de bine cu matematica sau limba română în perioada școlii. Deși, mulți bărbați din ziua de azi au dificultăți când vine vorba de înmulțirea emoțiilor autentice din interiorul unei relații, și se concentrează mai mult pe adunarea suspinelor și împărțirea de promisiuni ce nu mai văd răsăritul soarelui. La fel cum unii dintre ei se împiedică la fiecare pas de atâtea virgule și semne de întrebare, în incapacitatea lor de a pune punct atunci când este cazul sau de a pune parantezele necesare unui nou capitol curat și autentic din viața lor.

Este vorba despre bărbații care au picat testul inimii și care nu și-au făcut temele și calculele așa cum se cuvine înainte de a intra într-o relație cu sufletul numit pereche. Sau poate încă nu și-au găsit sufletul pereche și le este frică să-l mai caute.

Bărbatul ignorant – ignorant atunci când vine vorba de anumite decizii și acțiuni pe care uită să le întreprindă în așa numitele tentative de schimbare. E bărbatul care ignoră sentimentele partenerei, se șterge cu ele la nas, iar apoi le aruncă într-un colț uitat și tenebros al sufletului. Bărbatul ignorant poate fi asemuit cu bărbatul orb. Orbit de propria-i ființă și într-o continuă derivă a minții și a inimii. În esență, acest tip de bărbat se ignoră pe el însuși în tot acest proces masochist.

Bărbatul arogant – dar nu în sensul bun și aristocrat al cuvântului, ci într-un sens mai mult agresiv. Bărbatul care manifestă o aroganță prostească a simțurilor, a trupului și o deschidere mare a ego-ului ce l-a încătușat în propria-i fudulie. Este bărbatul care se uită la consoarta lui de sus în jos, chiar dacă e mai mic la înălțime decât ea. Unii s-ar urca și pe un scaun doar pentru a nu-și pierde din trufie. E acel personaj antipatic care le știe pe toate când, de fapt, nu știe nimic. „The Jack of All trades"! Se supără atunci când îl contrazici și nu ezită niciodată să te combată cu plaja de pseudo cunoștințe pe care le-a acumulat în drumul lui greoi spre... Google!

Bărbatul mincinos – e bărbatul cuvintelor mieros ambalate și frumos mirositoare și al promisiunilor deșarte în încercarea lui de a păcăli cât mai multe suflete. Un devorator de temut al trupurilor și un laș jalnic în momentele când este prins cu mâța-n sac. Bărbatul mincinos „te iubește" cu zâmbetul pe buzele tale și cu mâna pe piciorul alteia. Te adulmecă cu tot felul de „jocuri" dulci și te lovește puternic atunci când ți-e lumea mai dragă. Îți spune neîncetat că ești o păpușă când, de fapt, nu ești pentru el decât o marionetă. Bărbatul mincinos va încerca să te împace cu un „te ador" la fiecare promisiune încălcată.

Bărbatul misogin – nu vreau să vorbesc prea mult despre acest specimen într-o continuă alterare a tuturor simțurilor. Bărbatul misogin întruchipează neliniștea sufletească, dansul nevrotic și agitația psihică a bărbatului frustrate, paralizat de propriile neputințe. De cele mai multe ori este bărbatul refuzat de doamne și mai apoi, de el însuși. E un bărbat periculos, în special atunci când nu mai are ce pierde. Doar a pierdut destul. Sau destule...

Bărbatul „prost" – la loc de cinste alături de ceilalți. Este bărbatul care câștigă în clasamentul celor repetenți, detașat. Este bărbatul care îi combină la un loc pe toți cei amintiți mai sus. Tabloul perfect și deosebit de colorat al bărbatului pierzător. Un jucător pe termen scurt și un mare pierzător pe termen lung. E bărbatul care își merită soarta și își plânge consoarta atunci când o pierde atât de ușor.

Desigur, există și alte tipologii și clasamente ale bărbatului „scos la tablă" cu lecția neînțeleasă. Dar ele reprezintă mai mult sau mai puțin variante sau completări. La final, pentru a estompa puțin din amprenta dură a acestor rânduri, să recunoaștem că mulți dintre noi am ocupat, într-un anumit moment al vieții, un loc bine meritat pe „podium". Până la urmă, este vorba despre fațetele mai mult sau mai puțin caraghioase ale drumului cu tot felul de hârtoape ale oricărui bărbat spre... maturitate. Un drum cu multe halte și tot felul de poticniri, pentru că... e atât de „frumos" și de comod să fii cât mai mult timp copil!

Și totuși, există și bărbați înșelați, bărbați mințiți, bărbați care iubesc, dar despre ei nu mai vorbește nimeni...

Există! Bărbați mințiți, batjocoriți și bârfiți în pauzele de epilat. Despre ei nu mai vorbește nimeni. Despre bărbați cu sufletul curat care au întâlnit femei ce considerau că totul se învârte în jurul lor. Atât pământul, cât și bărbații. De asta mulți dintre ei sunt niște amețiți! Există și bărbați care știu să iubească. Din nefericire, unii dintre ei iubesc pe cine nu trebuie.

Bărbați ce și-ar da sufletul pentru femeia de lângă umărul lor, în timp ce ea și-ar da numărul de telefon și la alții. Există și bărbați care încă mai cred în iubire adevărată așa cum există și femei ce îți râd în față atunci când le vorbești despre ea. Există bărbați care merită să fie iubiți așa cum există femei ce consideră că merită să primească totul și... atât!

Nu toți bărbații sunt netrebnici. Așa cum nu toate femeile sunt niște îngeri. Unele, au îmbrăcat de mult bluza minciunii, a trădării și a lipsei de corectitudine. Și-au tăiat singure aripile atunci când singura oglindă ce conta era aceea atârnată pe un perete dintr-o casă goală. Precum sufletul lor.

Încă mai există bărbați potriviți pentru cineva care așteaptă îndelung o dragoste ce refuză să se stingă. Așa cum mai există femei ce încă nu au înțeles că fără iubire nu suntem nimic. Nici măcar praf de stele. Unele se aleg cu praful trecutului ce ustură aceiași ochi ce nu mai vor să se deschidă.

Există mulți bărbați demni de iubit. Bărbați cu suflet de copil și brațe ce-ar putea să îți cuprindă Universul. Bărbați ce ar putea să îți alinte clipele. Să te răsfețe între ceasuri. Să îți aducă micul dejun la pat și să te adulmece ca pe-o cafea băută mai târziu... în doi. Ca mai apoi să îți aducă flori și să presare a lor aromă-n părul tău. Bărbați ce râd cu tine și nu de tine. Bărbați ce pot iubi cu mintea și cu inima deschise. Bărbați care te-ar căuta și printre vise.

Încă există și bărbați buni. Așa cum există și femei care își bat joc de ei sau, sub masca iubirii, își ascund idolatria.

Și femeile înșală. Unele o fac mai mult decât bărbații. Și femeile rănesc. Unele mint cu nerușinare. Cele mai multe... se mint singure! Cine spune că femeile nu înșală, nu a cunoscut femeia. În toate ipostazele ei. Femeia rănită și trădată, femeia ignorată și neprotejată. Femeia neînțeleasă. Femeia răzbunătoare. Femeia plictisită. De el și de viață. Femeia neiubită.

Toate femeile au fantezii. Un bărbat care te iubește și pe care îl iubești e suficient pentru a bifa orice nebunie a minții și a inimii. Atunci când cauți în altă parte, poate că nu ai căutat suficient unde trebuie sau... nu ai găsit ce aveai nevoie.

Femeile înșală mult mai greu. Cred că asta ne salvează pe noi, bărbații! Imaginați-vă ce s-ar întâmpla dacă și femeile ar înșela la fel de ușor. Am trăi un haos. O matematică a iubirii în care triunghiul amoros el-ea și celălalt are deja vârfurile tocite.

Când se întâmplă, nu mai contează ca celălalt e mai urât sau mai nătâng. Nu trebuie să fii un Don Juan pentru o îmbrățișare. De cele mai multe ori, femeile înșală numai pentru că e un altul! Un altul care „poate" să umple golurile afective și emoționale. Un altul care poate lega ațele rupte ale inimii. Un altul care îi poate reda încrederea în ea. Îi poate ridica stima și îi poate oferi confirmări. Chiar și pe termen scurt. Un altul care o să „te poată iubi" pe termen lung și necondiționat. Din nefericire, majoritatea o fac cu „contract". Precum un voiaj scurt spre o locație exotică. Toate minunile țin trei zile. În cele mai multe cazuri, trei ore.

Multe femei înșală din răzbunare. Pentru a călca în picioare orgoliul masculului de lângă umărul lor. Un mascul ce și-a pierdut, rușinos, femela, în brațele altuia. Pentru ele, răzbunarea e dulce. Eu zic că e sărată. La început. Mai apoi devine amară și cu un gust de nesuportat. Un gust ce îți provoacă greață și îți pune la încercare diafragma. În primul rând, pe cea a sufletului. „Dacă el m-a înșelat, eu de ce să nu o fac"? Cam asta e logica. Una total neinspirată. Pentru că atunci când plătești cu aceeași monedă nu faci decât să te umilești și mai mult, să te degradezi total. Ești la fel. Un câștig pe termen scurt, însă o cădere a ființei, pe termen lung.

Despre femeile care înșală din plăcere nu prea se vorbește. De obicei vorbesc ele. Între ele! Înșelatul e un sport. For fun! Un sport ca oricare altul. Un hobby destul de costisitor. Sunt cele care își deschid picioarele mai ușor și mai repede decât sufletul. Nu e nimic grav. Atât timp cât îți asumi. Cu cine și pentru cine.

Femeile care înșală sunt periculoase. Pentru unele, iubirea e la capăt de linie. În acel moment, femeia care înșală nu poate fi întoarsă din drum. Un proces ireversibil. Pentru altele, e doar o experiență. Iar pentru majoritatea, o mare pierdere de timp.

Și femeile înșală. Așa cum și bărbații o fac. Jerome K. spunea: „Bărbații nu păcătuiesc cu femei cuminți". Iar asta spune tot!

De ce le este teamă bărbaților?

O întrebare la care nici bărbații nu pot răspunde. Cel puțin nu atunci când sunt întrebați direct. De un refuz? Probabil. Deși, mulți dintre ei încearcă să îl evite. De multe ori e mai ușor să privești de pe margine și să îi lași pe alții să își frângă gâtul! Nu te vei afla niciodată în postura bărbatului privit din cap până în picioare și refuzat politicos între două fumuri de țigară. Cu toate că nu există femei inabordabile, ci doar femei „ocupate" sau... bărbați care nu știu să abordeze.

Teama de angajament? E ca și cum ai spune: Facem un copil, dar îl crești tu. Sau, mai rău, crește singur. Teama de eșec? Cred că toți o avem. însă în cazul bărbaților e mai profundă. Mai ales atunci când îți dorești să oprești timpul în loc și să bifezi ceea ce ai de făcut înaintea unui deadline usturător. La fel ca în cazul bărbaților cărora le este teamă să nu fie promovați. Unde? La job, bineînțeles. Când, în tot acest timp, ar trebui să lupte pentru o „promovare" în inima celei de lângă ei. Și în relații există deadline-uri. Mai mult simbolice și de un minim bun simt.

Doar că acolo nu ți le spune nimeni și nu vei primi niciodată un mail cu instrucțiuni. Poate doar un mail de „adio” atunci când o dai în bară iremediabil.

Teamă de o despărțire? Nu o provoca atunci. Pare simplu la prima vedere când, în realitate, chiar este! Să iubești ceea ce ai cucerit și te-a ales. Frica de singurătate e și ea prezentă. A fost întotdeauna. Teama de a nu primi destulă recunoștință? Depinde de la cine o primești și ce faci în sensul asta. Mulți își caută validarea în tot felul de cercuri dubioase. Recunoștința ar trebui să o ai acasă, în primul rând. Și mai apoi înafara ei.

Teama de îmbătrânire? Există și teama asta. Mai nou, și bărbații folosesc fond de ten pentru a-și acoperi ridurile și a-și masca punctele negre! Unii reușesc să își ascundă chiar și suferința unui chip atât de încercat. Dar orice ai face, tot acolo ajungi. Mai devreme sau mai târziu. E mai important ce faci cu timpul care trece și cum îl folosești decât să îl pierzi uitându-te în oglindă!

Teama de război? După război, mulți eroi se arată. Eu cred că înainte e și mai și. Am cunoscut mai mulți eroi încă înainte ca acesta să înceapă! Când, în esență, cel mai mare război de care ar trebui să le fie teamă este războiul cu ei înșiși. Mulți îl pierd. Important e să nu pierzi bătălia cea mare... cu viața!

Și mai sunt acei bărbați care spun că lor nu le este teamă de nimic. Ca în povestea lui Greuceanu și a zmeilor fără de frică. Doar că aici nu există nici zmei și nici eroi de poveste. Aici soarele răsare când trebuie și luna îi ia locul la timp! Sunt bărbații care nu prea mai au nimic de pierdut. După mine, pot fi și cei mai periculoși!

Teama de iubire? A acelor bărbați care fug de ea mai rău ca un maratonist de performanță. Nu... Nu cred că bărbaților le este teamă de iubire. Dimpotrivă, toți își doresc să iubească și să fie iubiți.

Mai degrabă le este teamă să nu fie părăsiți de cele pe care le iubesc.

E frumos să vezi un bărbat îndrăgostit. Un tablou nepreţuit al celor doi. Un bărbat bun și o femeie blândă.

A nu se confunda bărbatul bun cu cel naiv și femeia blânda cu cea lipsită de demnitate. Când tot ceea ce contează pentru unii este cum să își satisfacă ego-ul înfometat și însetat de prea mult „ei". Atunci când nevoile lor ocupă locul întâi, iar partenerul prins în mreje, nici măcar un loc pe podium. Poate doar menţiune.

Bărbatul bun a devenit deja utopic. Ca o continuare a unui film ce nu mai ajunge pe ecranul din sufletul celuilalt. Femeia blândă e o specie din ce în ce mai rară și mult prea „vânată". Ambele categorii ar trebui ocrotite prin lege. O lege a bunului simţ ce ar trebui să îi aducă împreună și să nu îi mai despartă. Din păcate, nu tot timpul se întâmplă asta. Mergând „cot la cot" cu expresia „atragi ceea ce ești", uneori e necesar să mai atragi și ceea ce nu îţi dorești să fii. Poate tocmai pentru a învăţa lecţiile vieţii ce nu încetează să ţi se arate în ceasurile mult prea negre.

Bărbatul bun și femeia blândă sunt acele bucățele desprinse din puzzle-ul iubirii adevărate și aruncate random, în lumea dezlănțuită. Deseori, parcă auzi o voce răgușită ce strigă cu atât de mult ecou: „Acum, găsiți-vă!" Bărbații buni încă există. Chiar dacă au fost poziționați „strategic" și cu atâta migală la polul opus al femeilor blânde. Iar linia dreaptă dintre ei nu e întotdeauna și calea cea mai scurtă. Unii aleg să meargă în zig-zag până ajung la destinație, iar alții obosesc prea repede. Și totuși, unii se întâlnesc. Așa cum e firesc să fie.

Cum arată bărbatul bun și femeia blândă? Nu are știu dar pot să îți spun încotro se îndreaptă. Cu pași mărunți și siguri, unul înspre celălalt.

Atât de frumos îi cheamă iubirea!

Care este cel mai bun bărbat din viața unei femei? Următorul?

Dacă cel de dinainte nu a bifat cu brio rolul de cuceritor la foc continuu. Precum un cozonac pe care îl lași la dospit și îl scoți afară înainte de a se umfla. Cam așa se întâmplă și cu unii bărbați.

Se dezumflă înainte de termen. Iubirea este o prăjitură. Asezonată cu arome proprii, unice. Cel mai bun bărbat din viața unei femei ar trebui să fie abonat la astfel de prăjituri. Un bărbat care se mulțumește numai cu felul întâi nu va gusta niciodată din desert. Atunci iubirea devine un deșert. Un deșert fără oaze de liniște și fără posibilitatea de a potoli setea inimii celuilalt. Mulți se pierd în timpul călătoriei. Unii obosesc și transpiră mai rău ca atunci când aleargă. Tot de iubire. Pentru alții e îndeajuns iluzia fetei Morgana.

Cel mai bun bărbat din viața unei femei este bărbatul potrivit. Potrivit cu grijă în minte și în inimă. Asemenea ultimei piese de puzzle căutate prin inconștient. Iar dacă bucățica nu se potrivește, vom căuta alta. Neînjumătățită. Vom căuta întregul. Și îl vom integra. În ființă. Precum un cântec al sufletului ce plânge după ultimul refren pierdut printre stofe.

Cel mai bun bărbat din viața unei femei e următorul. Sau poate că nu. Atunci când primul s-a jucat cu mintea ei, iar ultimul nu i-a atins inima.

Căci inima unei femei se cade a fi atinsă cu precizia chirurgicală a celui care țintește cu vârful vorbelor, trăiri, emoții... sentimente. Ca mai apoi să le transforme într-o poveste adevărată, povestea celor doi.

Cel mai bun bărbat din viața unei femei poate fi următorul. Atunci când cel de-acum nu face parte din catrenul vostru. Atunci când muzica inimii își pierde ritmul, iar ochii se întorc după altcineva.

Cel mai bun bărbat e cel care te iubește. Nu doar în zilele cu soț sau cu mult soare. Ci și în iernile în care zilele impare își caută frenetic, perechea. Ce bărbat se poartă anul acesta? Se poartă bărbatul de anul trecut! E criză! Cel mai bine ar fi să se poarte bărbatul potrivit. Potrivit ție!

Nu așa îți spui mereu atunci când te uiți în spate? Plină de regretele unui trecut întunecat și îndoielnic? Bărbați înalți sau scunzi, bruneți sau blonzi, cu studii sau fără. Bărbați cu sute și sute de cărți în biblioteca minții sau doar o sută de sticle din cele mai alese băuturi din mini barul care te-a lăsat cu gura căscată atunci când te-a invitat la el acasă.

Bărbații care îți rostesc cuvinte alese sau cei care încearcă să te impresioneze cu un vinil semnat Kenny Rogers. Bărbații pe care i-ai visat în cele mai singuratice nopți de veghe ale sufletului. Bărbații care te-au impresionat pe stradă atunci când ai trecut pe lângă ei fără a întoarce privirea peste umerii tăi goi. Măcar în treacăt.

Niște bărbați care ți-au sfâșiat mintea și ți-au amanetat inima doar pentru că au putut. Doar pentru că tu ai permis să se întâmple asta. Cele mai frumoase clipe de început s-au transformat în cele mai opace gânduri ale ființei. Cele mai frumoase întâmplări s-au transformat în amintiri răscolitoare și mult prea grele pe cântarul prezentului măcinat de întrebări fără răspuns. Și asta doar pentru că toți bărbații sunt la fel. Sau cel puțin așa consideri tu.

Așa consideră femeia care a avut prea multe relații eșuate la rând când, de fapt, ea nu a avut decât o singură relație eșuată de mai multe ori. Femeia care spune că nu mai crede în dragoste și în bărbați, preferă să fie singură crezând că e mai sănătos așa. În realitate, ea a încetat să mai creadă în ea. Și cât de ușor se instalează această opacitate a inimii. „Nu mai cred în iubire și nici în bărbații care îmi fac curte. Prefer să rămân singură" este egal cu „Am fost rănită de atâtea ori încât acum îmi protejez sufletul de toți invadatorii din jurul meu". E greșit să crezi că toți bărbații sunt la fel. Cu siguranță nu este așa. Există și excepții. Dar excepțiile apar atunci când tu ești pregătită să oferi și să primești, în egală măsură... iubirea! Excepțiile în care multe femei au încetat să mai creadă. Și totuși ele există... Atât timp cât accepți că bărbații sunt niște copii mari. De ce femeile tinere vor bărbați mai în vârstă? Pentru că au auzit că bărbații se maturizează după 40 de ani.

De ce femeile mai în vârstă vor bărbați mai tineri? Pentru că experiența le-a demonstrat că nu este adevărat. E periculos să arunci vorbe de genul acesta în jurul tău. Unii s-ar putea să le creadă. Tot experiența își spune cuvântul deși, adevărul este întotdeauna la mijloc. Este exact între cei doi. Între bărbat și femeie. În capacitatea lor de a-și construi o relație.

Bărbații sunt ființe umane la fel de sensibile, de cele mai multe ori, ca și femeile. Cele care spun că toți bărbații sunt la fel și-au împietrit inima. Cu siguranță nu ar mai alege. Sunt femei care înțeleg bărbatul și ce se ascunde în mintea lui. Cel puțin, asta cred ele. Un bărbat care nu se gândește la sex nu e bărbat. Iar o femeie care nu se gândește la sex ce este?

Unele femei consideră că bărbații nu se vor maturiza niciodată. Niciodată e un cuvânt dur. Aș merge mai mult pe varianta „se maturizează greu". Încet, dar sigur! Important este să-și conștientizeze starea. Bărbații pot fi niște ființe minunate. Femeile ar trebui să înțeleagă asta. Chiar și atunci când merg cu tine la shopping și se plâng că vor să plece acasă. Lasă-l în raionul de electronice și s-ar putea să nu se mai întoarcă! Sunt superbi chiar și atunci când se bucură ca niște copii de ultima achiziție în materie de tehnologie. Dacă tu te bucuri de o poșetă, el de ce nu s-ar bucura de un telefon de ultimă oră? Dacă tu te bucuri de perechea de pantofi visată, el de ce nu s-ar bucura de ultimul joc de PlayStation pe care l-a cumpărat? Mai degrabă unul care stă în camera de alături și joacă FIFA decât unul care pleacă la bere și uită să se mai întoarcă.

Așa cum, din când în când, o partidă de pescuit nu strică. El speră la captura cea mare, iar tu citești și te bronzezi. Sau stai acasă. Periculoși sunt cei care pescuiesc pe uscat. De ăștia trebuie să te ferești. Cu o singură momeală s-ar putea să prindă mai mult. Sau mai multe.

Sunt mișto și cei care se gândesc mereu la sex și te-ar trânti la pat, zi de zi. Bucură-te. E ceva normal. Pune-ți semne de întrebare atunci când nu se mai gândesc la asta!

Și cei care rad. Și care te fac să râzi. Mult și bine. Nu ți-ar trebui unul serios. Crede-mă! Te-ai plictisi rapid. Mai bine unul care se prostește decât unul care te prostește.

Sunt mișto și cei care pozează în bad boys. Mulți dintre ei sunt, în esență, niște băieți buni. Așa cum băieții răi ce pozează în sfinți sunt și ei de înțeles. Important e cum „îi crești". E valabilă și reciproca.

Așa cu nu sunt de acord cu cei care consideră femeia doar o reprezentantă a „sexului slab", nu sunt de acord nici cu femeile care critică

„tagma" bărbaților, făcându-i insensibili, cinici, neserioși, brutali etc. Bărbații, ca și femeile, pot fi ființe minunate, atunci când întâlnesc perechea potrivită, când se produce miracolul întâlnirii care îi poate transforma.

Pentru că ne-am săturat de oameni care vin și pleacă. De promisiuni ce nu apucă răsăritul. De ani și ani tot tineri și neliniștiți suntem. Precum serialul ce nu se mai termină. Căci viața noastră a devenit un film tragi-comic. Păcat că de regie se ocupă alții. Ne-am săturat de oameni ce poposesc în viața noastră. De parcă am fi un copac la care te oprești, rapid, să faci un pișu. Sau să te odihnești la umbra lui. Păcat că alții ne fac, nouă, umbră. Atunci când soarele din ei s-a stins demult. Ne-am săturat de oameni care se grăbesc în preajma noastră. În fuga lor de ei înșiși, ajungem să ne împiedicăm de ei. Unii sunt asemenea chelnerului neîndemânatic ce-ți varsă supa de legume-n poală. Ca mai apoi să spargă un pahar sub ochii tăi. Sunt cei care îți fac din vise, franjuri. Sunt cei care îți calcă peste trup. Sunt cei care fărâmițează mintea. Și inimi calde ce nu bat ca la-nceput.

Ne-am săturat de hiene ce ne devorează carnea. De cei care ne văd ca niște obiecte. Dacă ar putea, ne-ar muta ca pe niște bibelouri, în stânga și în dreapta. Uitând să șteargă praful de pe noi. Suntem sătui de oameni care încearcă să ne cumpere iubirea. Care vor să ne impresioneze cu obiecte scumpe. Pentru ei, orice se poate cumpăra. Atât de mult ajung să-și vândă sufletul. Precum un lanț ce ruginește-n șoaptă. Ca un metal neprețios ce se topește-n vânt.

Ne-am săturat de oameni care vin și pleacă. Vrem oameni care să rămână. În suflet. Căci de acolo este mult mai greu să ieși.

Ne este dor de oameni buni. De oameni cu inima caldă. Chiar și atunci când mâinile lor sunt reci. În tropotul timpului și al șoaptelor răsfirate peste dorințe. Ne e dor de oameni buni și nebuni, ca niște copii. În nebunia altora, am uitat cum e să o trăim pe a noastră. De oameni veseli, ce îți zâmbesc cu inima. Când trupul este sfârtecat printre suspine.

Ne este dor de oameni ce se țin de mână. De oameni ce își spun povesti. Fără a-i povesti pe alții. Oameni care se regăsesc în suflul celorlalți. Ne este dor de oameni ce iubesc și se iubesc. Oameni ce nu au uitat cât de frumoși sunt. Lăsând oglinzile hidoase în urmă.

Ne este dor de oamenii copii. De cei ce-și poartă tinerețea-n suflet. De-adulții ce se joacă pur. Fără să calce peste minți și inimi.

Ne este dor de oameni sinceri. De guri ce te alintă cu-adevărul. De oameni ce te simt și îi simți mereu cu tine.

Ne este dor de oameni fericiți. De chipuri ce îți râd cu ochii. Căci multă vreme au stat cu ei închiși. Cu mintea, inima și sufletul... la fel.

Ne este dor de oamenii neprefăcuți. Oameni curați și sinceri cu ei și cu cei din jur. De oameni ce te iau în suflet și nu ți-ar da vreodată drumul.

Ne este dor de oameni vii și calzi, nebuni și buni!

Sunt printre noi... Tineri sau bătrâni înainte de vreme. Toți îmbătrânim. Unii înainte de vreme, iar alții înainte de a se simți tineri, cu adevărat. Toți încărunțim. La început din interior înspre exterior. Câte săgeți otrăvitoare poate încasa o inimă deja rănită? Cam câte mașini pot trece peste același bitum bătătorit sub greutatea lor și a vitezei cu care mulți dintre noi trecem prin viață.

Viața e precum un film. Pentru unii e de scurt metraj, iar pentru alții un serial repetat în aceleași episoade înșirate neîngrijit în fața ochilor. Actorii se vor schimba mereu. Poveștile sunt aceleași. Dacă înainte sărutai niște buze numite Ana, poate mai târziu vei săruta altele. Cu un alt nume. La fel de dulci. Dacă înainte mâinile ei erau în ale tale, peste puțin timp, alte mâini își vor face loc peste trupul tău. Iubirea nu are nume. De multe ori, poartă numele și chipul altora.

Viața e în mișcare. Într-o mișcare continuă și neîntreruptă a simțurilor. Fiecare stimul din exterior se hrănește cu interiorul tău. Și invers. Fiecare zâmbet furat la un colț de stradă este memorat și păstrat cu blândețe în inconștient.

Un alt zâmbet va fi furat pe nesimțite. De la altcineva. Oamenii vin și pleacă. Unii vor să mai rămână, dar nu mai vrei tu, iar alții, nu rămân nici dacă îi implori atunci când le verși petale de clipă în minte și în inimă.

De ce să plângem pentru cei care au plecat din viața noastră? De ce să nu ne amintim mai bine cât de frumoși am fost împreună. De ce să ne închidem inima și să încleștăm venele timpului în același trecut regretat? Privește înainte. E singurul drum pe care îl mai poți parcurge. De preferat, în doi.

De ce să pierdem timp, ștergând lacrimi înghețate peste obrajii arși de dor? Mai bine am păstra acele lacrimi într-un sertar păzit de amintiri. Le-am împacheta cu atenție și le-am scrijeli pe pereții trupului. Ca un tatuaj permanent pe care nu-l vei regreta.

De ce să pierdem timp uitându-ne atât de mult în oglindă? Ea va rămâne la fel. Doar noi ne schimbăm. Oglinda este o mincinoasă și o hoață celebră. Căci singura oglindă pură este cea din suflet. E ca un barometru perfect al ființei.

O busolă ce singură ne poate aduce la mal. Atunci când timpul ne încremenește în suspine. Atunci când cădem și uităm să ne mai ridicăm. De nenumărate ori, uităm să mai trăim și ne aducem aminte doar că existăm. Sau poate nu ne mai aducem aminte? Poate este nevoie de ceva, cineva care să ne spună ce se întâmplă cu viața noastră?

Dragi bărbaţi, o floare vă costă mai puţin decât un pachet de ţigări, iar un buchet frumos aproape cât zece pachete, pe care oricum le veţi fuma. O îmbrăţişare este gratuită. Un sărut sincer nu va rămâne niciodată fără ecou. Un umăr pe care Ea se poate sprijini este, poate, tot ce are nevoie în acel moment.

O voce caldă ce poate să-i alunge demonii si să-i linistească bătăile inimii e ca o floare în mijlocul unui deşert.

Un „Te iubesc!" spus în mijlocul zilei este de nepreţuit. Indiferent de alegere, Ea se va bucura! :)

Îmbătrânim...

Pentru că ne uităm la stele, iar mai apoi ne coborâm privirea. Le ascundem în buzunarul găurit al sufletului, lăsându-le să se împrăştie printre paşii grăbiţi ai cotidianului. Le călcăm în picioare şi ne plângem de bătăturile din inimă. Căci bătăturile din talpă demult nu ne mai dor atât de tare.

Îmbătrânim pentru că ne uităm în coşul altora când mergem la cumpărături. Atunci când uităm să culegem de pe raftul nostru, zâmbete, trăiri şi clipe magice. Am ajuns să ducem grija celor pe care nu îi cunoaştem. Uitând să ne cunoaştem propria fiinţă.

Îmbătrânim pentru că ne-am împrietenit cu demonii. Lăsând un înger să se zbată crunt, cu aripile-nchise. Noi l-am lăsat în umbra firii. L-am încuiat şi l-am zidit în ziduri groase ce plâng acum durerea unei lumi zdrobite sub mâini ce macină în palme aspre, dorinţe, gânduri, flori albastre.

Îmbătrânim atunci când ne uităm prea mult în oglindă. Uitând să ne uităm mai mult în suflet. Plecând de acolo și continuând cu exteriorul. Fără a mânji cu degete o sticlă hoață. Ce ne arată doar ce vrem noi să vedem. În zile reci și nopți scăldate-n ceață. Atunci când mintea se preface-n scrum. Atunci când ne oprim, subit, din drum. Un drum bătătorit de alții.

Îmbătrânim pentru că am uitat cât de frumoși suntem. Le cerem altora să ne confirme asta. Zâmbind forțat în poze de album. Un chip senin ce râde pentru ceilalți. Chiar dacă inima se zbate până face... Boom!

Îmbătrânim când ne uităm în spate. Uitând că drumul cel din față e cel mai important, aici, acum. Îmbătrânim prea repede atunci când ne certăm cu vârsta. Uitând că e un număr ferecat printre ani. Atunci când ne oprim din luptă. Când temeri, frici, neliniști ne îngheață. Îmbătrânim când nu avem un suflet cald, aproape. E tot ce omul își dorește-acum. Căci într-o lume prea grăbită, prea anostă, numai iubirea ne va curăți de măști, de cei nebuni. Numai iubirea ne poate arăta... Adevăratul drum!

Toți îmbătrânim! Mai devreme sau mai târziu. Important este ce lăsăm în urmă, câți oameni am făcut fericiți și pe cine avem alături. Așa ar trebui să se încheie orice poveste frumoasă de viață.

Make up...

În 2016 se poartă machiajul impecabil și tocurile înalte. Mașinile scumpe și bărbații ieftini. Femeile ce confundă fericirea cu plăcerea și bărbații ce mișună pe lângă aceste femei, nevrotic. Există femei. De toate felurile. La unele nu îți dai seama ce e mai gros. Orgoliul sau fondul de ten. Așa cum există bărbați. Unii, doar cu numele. În 2016 iubirea este înlocuită. Este dată la schimb atât de ușor. Totul e acum un troc mizerabil și iluzoriu.

Sunt cei care îți spun „O viață am și pe asta o trăiesc". Depinde și cum o trăiești. Nu e suficient doar să exiști. La final de zi, contează ce ai lăsat în urmă. Ce ai făcut și pentru ceilalți, nu numai pentru tine.

În 2016 se poartă hainele apretate și sufletul șifonat. Cine mai are timp să se uite în interior atât timp cât exteriorul epatează?

Cine mai are nervi să-l înțeleagă pe celălalt și să-l descopere? Cine mai are timp să iubească și să fie iubit? Mă întreb: Dacă ai putea să faci un selfie sufletului, oare câte suflete vom vedea înșirate? Într-un album numit, dorință. Oare câți ar avea curajul să își pozeze inima? Fără s-o editeze mai târziu. Fără s-o retușeze.

În 2016 se poartă bronzul natural și cel artificial. Atunci când inima e înnegrită și aproape arsă. E mai ușor să câștigi la loto decât să găsești o iubire adevărată și să înveți să o păstrezi. Așa cum există mult mai multe șanse să crapi în drum spre loto decât să câștigi premiul cel mare. :)

În 2016 se poartă vinuri scumpe și conversații ieftine. Cel mai amețitor vin e „vin la tine și nu mai plec". De plecat, majoritatea o fac.

Se poartă vacanțele exotice, uitând că cea mai reconfortantă vacanță e cea în mintea și inima celuilalt. Se poartă visele mici. Căci unii au uitat cum e să mai viseze.

Mulți încă visează la cai verzi pe pereți, atunci când pereții ființei trebuie zugrăviți din nou.

În 2016, sufletul s-a demodat. Acum, nu e decât o pată de culoare ce mocnește slab. E păcat. Pentru unii, focul poate nu se va aprinde niciodată. Iar atunci când se întâmplă, au grijă alții să îl stingă.

Fumăm pe jumătate, citim pe jumătate, ne bucurăm pe jumătate și ajungem să iubim pe jumătate. Căutăm jumătăți la tot pasul, cu pașii pe care îi așternem în mers, pe jumătate! Ne certăm pe jumătate, sărutăm o jumătate de gură, mângâiem jumătăți de inimi frânte și ne înjumătățim pentru fericirea celorlalți. Ne ținem de mână pe jumătate și trecem grăbiți pe lângă alte chipuri și trupuri înjumătățite de lamele tăioase ale timpului.

Adormim la jumătatea filmului și ne trezim năuci în mijlocul unei nopți pe jumătate terminată. Suntem plătiți pe jumătate chiar dacă unii muncesc pe de-a întregul. Ne căutăm ca două jumătăți de puzzle pentru a forma o altă jumătate în drumul nostru spre fericire.

O fericire tăiată în două și împărțită la aceleași jumătăți de ființă. Media aritmetică a unei iubiri prost înțeleasă și așternută mai mult pe hârtie decât pe drumul vieții.

Zâmbim pe jumătate și ne lăsăm acoperiți în totalitate de măștile întregi ale unui ego ce nu se lasă fragmentat. Îmbrățișăm jumătăți de măsură în loc să îmbrățișăm cu totul un suflet pereche reîntregit de primul. Iar atunci când ajungem să descoperim acel dram de liniște și de iubire, îl înjumătățim cu sânge rece, pe jumătate înghețat în venele aproape amorțite.

Nu-ți mai căuta jumătatea! Caută întregul! De jumătăți e plin pământul!

Toată lumea vorbește despre „genul acela de femeie", împreună cu „genul ăla de bărbat". Așa se ajunge la „genul acela de relație" invidiată și vorbită pe la toate colțurile „rotunde" ale meselor tocite de atâta bârfă. Din ce în ce mai mulți experți în „arta relațiilor". Mai mult de scurtă durată decât una lungă și asumată. Sunt prea mulți cei care obosesc lângă celălalt, pasându-și vina de la unul la altul ca o minge de tenis ce nu mai cade în afara terenului.

Un teren deja mult prea alunecos și murdar de atâtea degete îndreptate ostentativ înspre iubire.

Despre „genul acela de femeie” nu o să auzi vorbindu-se decât în filme. În cele cu finalul fericit și care nu mai au nevoie de o continuare. Despre „genul acela de bărbat” nu o să auzi decât în melodiile de la radio. Dar până și alea au căzut din topul celor care-au încetat să creadă. Să creadă în ce? În iubire, normal. Dar nu într-o iubire desenată pe Instagram și apreciată atât de mult pe Facebook.

Cele mai faine relații sunt cele despre care lumea nu știe prea multe. Mi se pare corect. Cu cât dai mai multe informații celorlalți, cu atât crește „interesul”. Despre „genul acela de bârfitori” nu scrie nimeni. Probabil din cauză că și ei bârfesc deja prea mult. Mă miră faptul că unii au atâta energie când vine vorba de „activități” de genul asta. Cred și eu că nu mai au timp de iubit și nici de a fi iubiți.

Despre „genul acela de prieteni” binevoitori și mult prea atașați de tine și destinul tau, nu se „atinge” nimeni. Prietenii la nevoie se cunosc.

Mai ales atunci când devin experți în propriile tale trăiri.

Bărbații vorbesc despre „genul de femeie" cu care ar rămâne toată viața. Băieții vorbesc despre femeia cu care ar rămâne doar o noapte. Femeia după care îți întorci capul pe stradă și îți rotești privirea, dar uiți să îți mai miști și inima atunci când „ai marcat". Femeia cu capul pe umeri vorbește despre „genul de bărbat" păstrat în inimă, iar „fetele" vorbesc despre bărbați păstrați doar la nevoie!

„Genul acela de relație" există! Ferită de ochii curioși și sclipitori ai lumii. Iar „genul acela de partener" e în fiecare dintre noi. Chiar și în cei care au încetat să mai creadă, în primul rând, în ei!

Ne pasă mult prea mult de ceea ce au (sau nu), cei din jurul nostru. Îi admirăm (sau nu) pe cei aflați într-o relație autentică și îi punem la zid pe cei care intră în relațiile... altora. Ajungem să visăm cu ochii deschiși și cu mâinile pe telefon la o dragoste ce ne poate mângâia dimineața, la prânz și seara. Ne rugăm să primim un semn din partea celuilalt, iar atunci când îl primim, nu știm să-l descifrăm.

Ne lăsam purtați în conversații mult prea lungi cu alții și ignorăm conversațiile cu noi înșine.

Ne uităm prea des în oglinzile atârnate strâmb prin casă, dar uităm să ne privim în oglinda interioară și să o mai ștergem, din când în când, de praful ignoranței. Ajungem să îi credem pe cei care ne citesc în palmă și în cafea, dar nu îi credem pe cei care ne citesc în ochi și în inimă. Ne cumpărăm împreună bilete spre locații scumpe, dar le compostăm mult prea repede pe cele ale fericirii. Atunci când plecăm la Veneția pentru a ne aduce aminte cât de mult ne iubim, iar mai apoi, când ne întoarcem ne reamintim cât de mult nu ne suportăm. Când voi dansați Latino, iar el numai „LaTine" nu se gândește, iar lunile de miere se transformă în luni și ani de coșmar. Pierdem prea mult timp uitându-ne înapoi și refuzăm să privim înainte pentru că... înainte era mai bine!

Ne plângem mereu de cel de lângă noi de parcă atunci când l-am ales a stat cineva cu pistolul la tâmpla noastră. Ne ferim de singurătate, dar o acceptăm cu atâta seninătate pe cea în doi. Suntem dezamăgiți ca nu avem o relație fericită, dar nu facem nimic să o schimbăm. Atunci când sensul tău și al celuilalt nu se unesc.

Ne izbim de atâtea ziduri invizibile și de atâția pereți mâzgăliți și zâmbim tot atât de sec pe pereții Facebook-ului. Afișăm atât de multă bucurie pe Instagram crezând că asta o să ne facă InstaHappy.

Suntem atât de cufundați în virtual încât am uitat să mai trăim în real. Alergăm continuu după himere și după cai verzi pe pereți și uităm să ne „împiedicăm" când trebuie și pentru cine merită. Ne dorim relații durabile și parteneri potriviți însă uităm să fim noi cum trebuie, înainte de toate.

Cine nu are o relație mișto, să-și „cumpere"! Sau, mai bine zis, s-o construiască! Și s-o păstreze!

Scria cineva că nu este vina ta dacă te îndrăgostești de persoana nepotrivită. Este vina ta însă dacă accepți și continui. Perfect de acord. De cealaltă parte, nepotrivitul consideră că nu are nicio vină. Dimpotrivă, se va simți bucuros că încă cineva a picat în plasa lui murdară și găurită de suspinele atâtor suflete ce au trecut prin ea.

Atunci când accepți nefericirea alături de un partener nepotrivit, nu mai ești o victimă. Ești un complice. Singur îți vei ține respirația numai pentru că cel de lângă tine consideră că îi intoxici aerul. Singur vei închide ușa numai pentru că celălalt consideră că e curent în casă. Singur te vei dezbrăca și te vei arunca în pat doar pentru că cel de lângă tine vrea bucăți din trupul tău, uitând cât de fragede au fost la un moment dat, mintea și inima.

Dacă nu ai reușit să te desprinzi, nu te baza pe faptul că celălalt o va face. El se va hrăni continuu cu suferința ta, iar tu te vei hrăni neîncetat cu iluzii. E un joc al așteptărilor în care amândoi pierdeți. Timp prețios. Frânturi din suflet, bucăți de minte și de inimă. Nimeni nu își va aduce aminte de ele mai bine decât tine.

Atunci când le aruncai sub preșul unei ființe sugrumate, zi de zi. Când nopțile implorau și ele să devină dimineți.

Partenerul nepotrivit este precum o ușă în care bați și nu-ți răspunde nimeni. Precum o șoaptă pe care o arunci în infinitul celuilalt, fără ecou. Precum o gară fără pasageri și pasageri fără de gânduri.

Să spui *„Te iubesc"* celui ce nu o merită, e o pedeapsă fără judecător. Precum un gol ce nu mai poate fi umplut. O lacrimă ce nu mai poate atinge obrajii.

În viață poți irosi multe. Dar nu-ți irosi cuvintele prețioase. Căci un *„Te iubesc"* ar trebui să fie cel puțin la fel de prețios ca cel care-l așteaptă.

Nu spune niciodată „Te iubesc" celui care îți aruncă sufletul la ghenă. Nu alege niciodată pe cineva care se gândește de două ori înainte de a te alege pe tine. Nu vă pierdeți timpul cu oameni care nu au niciodată timp pentru voi. Nu vă aruncați în brațele celor care vă dezbracă din cuvinte dar uită să vă mai îmbrace în fapte. Nu stați pe lângă oameni care nu merită o bucățică din mintea și inima voastră. Nu pierdeți vremea cu oameni care se adoră mai mult în oglindă decât în sufletul vostru. Nu aruncați mărgăritarele porcilor. Nu alergați niciodată după himere. Cei care vă iubesc, vor demonstra asta. Cei care nu se iubesc nici măcar pe ei, își vor găsi mereu scuze.

De spus, o poate spune oricine.
Puțini o vor și arăta!

Cum arată relația perfectă?

Nu sunt singurul care și-a pus această întrebare. Cred că de mai multe ori. Cum ar putea arăta o relație perfectă? Un el și o ea perfecți? Două trupuri perfecte ce nu mai au nevoie de nicio completare? Sau poate două inimi frânte ce bat la unison? Ori două zâmbete care nu pot trai unul fără celălalt? Ce înseamnă o relație perfectă? O relație plină de soare și lumină, fără strop de nori și ploaie?

O relație fără lacrimi și fără cuvinte grele? Sau o relație în dor de sunet și iubire? În care ochii celor doi uită să se închidă, iar pleoapele nu vor să mai clipească.

Cuplul perfect înseamnă primăvară și vară, toamnă, dar și iarnă. Din păcate, mulți parteneri încurca anotimpurile sau preferă să sară peste ele. O relație perfectă înseamnă doi oameni imperfecți care luptă unul pentru celălalt, fără a renunța, pentru că perfect înseamnă să adori imperfecțiunile perfecte ale celuilalt. O relație perfectă înseamnă iubire. De ambele părți. O iubire oferită și împărtășită.

Cuplul ideal nu înseamnă un el și o ea perfecți! Cuplul ideal este atunci când amândoi acceptă imperfecțiunile celuilalt și lucrează împreună la corectarea lor.

Și atunci... Cum arată el? Dar ea?

Un bărbat nu trebuie să fie perfect pentru a face o femeie fericită. Tot ceea ce trebuie să facă este să fie bărbatul care a spus că este atunci când a cunoscut-o. Iar o femeie nu trebuie să fie perfectă pentru a face un bărbat fericit.

O femeie trebuie să fie, înainte de toate, Femeie. Să iubească și să se lase iubită.

Nu există relații perfecte. La fel cum nu există parteneri perfecți. Alege să-i păstrezi în viața ta pe aceia care știu că nu ești perfect, dar te tratează așa.

Pentru că o relație nu trebuie să fie perfectă...

O relație trebuie să fie sinceră și adevărată!

Îl cauți necontenit în visele lungi și răvășite. Îl cauți mereu acolo unde crezi că îl vei găsi, la un moment dat, singur și disponibil. Pe stradă, în parc sau la cafeneaua cochetă de peste drum. La job, acasă sau în patul gol de atât amar de vreme. Se lasă atât de mult așteptat și întârzie de fiecare dată. Ai obosit să mai crezi în povești nemuritoare și în Feți Frumoși călare pe un cal alb. În Iliene Cosânzene cu tenul alb ca varul și cu voci suave. În ziua de azi, majoritatea vin pe jos sau... călare pe măgar. El prea arogant. Ea mult prea rujată.

Ai încetat să mai speri în a-l cunoaște pentru că el a încetat să se lase găsit.

Ai memorat decalogul perfecțiunii și te-ai pierdut printre rânduri. Te rogi în fiecare zi să îl întâlnești și speri să nu te dezamăgească. Cum ar putea? Partenerul ideal nu te dezamăgește niciodată. Nici nu ar avea cum. Atât timp cât nu are pe cine dezamăgi. Singura dezamăgire pe care o trăiești zi de zi e faptul că nu îl vei întâlni niciodată. Asta da dezamăgire. Dar nu te-ai săturat? Să tot aștepți? Să îți sabotezi singur fericirea alergând după himere? Să te lași mereu purtat de glasul „prietenilor” prea buni la suflet care ți-au spus mereu să nu te arunci în nicio relație ca să nu suferi? De parcă ar fi încheiat un contract cu Doamne-Doamne și au reușit să vadă în viitor. În viitorul tău. E ca și cum ți-ai luat oracolul din Delphi la buzunar sau la cafeneaua din colț.

Pentru că prietenii știu cel mai bine ce partener și se potrivește. Nu-i așa? Cunoaștem.

„Nu va fi niciodată bun pentru tine! Te va dezamăgi și vei suferi!". Știi cum se traduce asta, nu? „Mai bine aruncă-te în brațele mele primitoare. Cu siguranță, eu nu te voi dezamăgi!". Cât egoism și câtă ipocrizie! Vrei să nu fii dezamăgit? Există mănăstiri. Te călugărești și gata. În felul acesta nu vei mai fi dezamăgit. De niciun partener și de nicio promisiune aruncată elegant la un pahar de vin. Lasă-ți „prietenii", ignoră „sfaturile" și fă ceea ce simți! Nu mai căuta bărbatul perfect! De ce? Pentru că nu există. Nu mai alerga după femeia ideală! Din același motiv.

Oricine poate fi perfect pentru tine, iar tu poți fi un ideal pentru oricine.

CAPITOLUL IV

E GREU SĂ FII FEMEIE!

Nu totul se rezumă la instinct. La o fustă puțin peste genunchi și la un decolteu generos. Nu totul se rezumă la un alt număr trecut în agendă. Prin agenda sufletului cam bate vântul. Colile albe ale inimii sunt încă nepătate de cerneala bărbatului bine intenționat. Majoritatea, nu vor decât să bifeze încă o pradă. De parcă femeia e o amărâtă de gazelă, cu un picior șchiop și care aleargă bezmetic printre cuvinte dulci.

Nu toate femeile fug de sex. Nu toate femeile sunt speriate de bombe. Atât timp cât fitilul dintre voi încă arde. Așa cum nu toți bărbații trebuie să se dea peste cap, mai rău ca la circ, pentru a putea impresiona un chip ce-ți caută, curios, privirea. La final de zi, e important să fii tu. Acesta e biletul câștigător.

Și totuși, din nefericire, drumul până la inimă a fost înlocuit cu cel ce trece prin pat. Înainte de toate.

Mulți bărbați aleg varianta cea mai simplă. Asta nu înseamnă că e și cea mai bună. Așa cum mulți bărbați au uitat ce înseamnă respectul față de jumătatea mai fragilă. Unii dintre ei sunt mult mai fragili decât ele.

Despre șeful care îți face avansuri, dar strâmbă din nas când i se cere un avans, nu spune nimeni. Despre nesimțitul din autobuz care se înghiontește în tine, cu un rânjet tembel și vulgar pe față, nu amintește nimeni. Despre vecinul care te lăsa să urci scările înaintea lui, nu pentru că ar fi un gentleman, ci pentru că s-ar uita sub fusta ta, nu prea auzi multe. Domnii care te fluieră din mașină, încurcând circulația. Încurcată e și viața lor.

Cei care te fluieră pe stradă și își frâng gâtul pe trecerea de pietoni, o fac doar pentru a te trece și pe tine în palmares. Când tot ce ai făcut tu a fost să îți treci mâna prin păr.

E greu să fii femeie! E mult mai ușor să fii necioplit sau prost crescut. Măcar ai o scuză. Sau mai multe. Bunele maniere nu se găsesc în cărți. Nici la colț de stradă. Chiar dacă multe dintre ele țin de un minim bun simț.

Nu întotdeauna e vorba de instinct. De multe ori e vorba despre cum să fii bărbat. Pentru că nu e greu să porți o pereche de pantaloni. E mult mai greu atunci când nu știi să îi porți cu demnitate.

Sunt bărbat, însă nu mi-e rușine să o spun: femeile sunt mai puternice decât bărbații. Uneori, rămâi tâmpit atunci când vezi cât de mult poate duce o femeie. Săptămâni, luni și ani. Ani buni în care mulți bărbați ar capitula înainte de vreme. Femeile sunt puternice! Al naibii de puternice! Sunt precum niște furnicuțe cu inima de leu. Sau ca un shitzu pe care îl vezi că sare la beregata unui pitbull. Nu contează că e de cinci ori mai mare și mai puternic decât el. Sunt puternice dimineața, la prânz și seara. Sunt puternice în timpul săptămânii, dar și în weekend. Atunci când sunt adorate, dar și atunci când sunt mințite, înșelate.

Sunt puternice atunci când fac piața singure și atunci când își șterg lacrimile, tot singure. Sunt puternice atunci când bărbatul din viața lor a uitat să mai fie... bărbat. Atunci când își schimbă rolul, dar nu îl uită pe al lor.

Atunci când se duc la serviciu cu noaptea in cap, cu sfințenie și când se întorc, dărâmate, acasă. Când după o zi cruntă de alergat sau de stors și măcinat creierii într-un birou pătat de egoul unui șef libidinos, încă își mai găsesc puterea să spele vasele, să pună o rufă la spălat și să întindă o masă caldă.

Să nu mai vorbim de cele care au și copii. În timp ce ea face temele cu ei, el, de multe ori, e cu prietenii la băute. În timp ce ea le face ghiozdanul, el își începe antrenamentul la sală. Când ea se trezește la patru dimineața, el se întoarce pe partea cealaltă. În gândul ei, nu răsună decât o singură melodie: „Dormi, dragule, dormi! Adormit te-am luat, adormit te voi găsi!".

S-a cam terminat cu Atlas și cu Hercules.

Mai nou, Xena le face pe toate.

Femeile sunt mult mai puternice decât bărbații. Foarte rar veți vedea femei care vor „trage" la sală greutăți după ele și vor împinge la piept cu 150 de kilograme. Există însă o mulțime de femei care „trag" după ele copii, casă, masă, cheltuieli și duc în spate infinit mai mult.

RAI ȘI IAD ÎN IUBIRE

Adevăratele greutăți nu stau pe un stativ. Adevăratele greutăți sunt cele de zi cu zi. Asta înseamnă să fii puternic.

Asta înseamnă, de cele mai multe ori, să fii... femeie!

Am cunoscut femei cu „mușchi". Mai dezvoltați și mai umflați decât ai partenerului. Femei puternice ce puteau „duce" în spate greul unei relații și promisiuni pe banda rulantă a inimii. Unele se transformau în fapte, iar altele se transformau în alte promisiuni. Mai mincinoase decât primele.

Am cunoscut femei care schimbau singure becul atunci când se ardea. Unele schimbau și decorul atunci când celălalt călca pe bec, umbrind lumina sufletului fără glas.

Am întâlnit femei puternice. Femei ce își purtau povara unui prunc în timp ce înghițeau în sec, cuvinte dure, aruncate într-un foc de gheață al unei inimi făcute țăndări. Femei ce transpirau atât de mult la job, în timp ce el visa numai un blowjob.

Am întâlnit femei cu lacrimi multe. Presărate haotic peste un trup atins și ars de palme reci. Femei ce-au învățat singurătatea-n doi. Pășind în vârful degetelor pentru a nu trezi demonii din camera dc alături. Femei ce-au cunoscut o suferință cruntă, care le-a paralizat ființa. Femeia „bărbat" există. A învățat singură să gătească, să spele, să facă curat și să se bucure. De orice lucru și de orice rază ce-i străbate obrazul. E femeia care, tot singură, a învățat să-și pregătească mintea, să-și spele inima de otravă și să facă curățenie în suflet. Ea a avut curajul să spună Stop, apăsând un nou buton de Play al vieții. Un nou capitol se așterne-n față.

Femeie, fii „bărbată"! Atunci când cel de lângă tine este prea puțin...

M-am săturat de „proaste". De „proaste" care își vând trupul pentru o bluză transparentă și la modă. De „proaste" care își iau pumni în gură de la bărbații din viața lor, considerând că asta e iubirea. M-am săturat să văd femei care îți zâmbesc numai cu chipul, sufletul fiind înecat în oceane de suspine și regrete. Cum ar fi fost dacă?

Multe dintre ele ar trebui să se gândească cum e acum. Ce-a fost nu mai contează.

M-am saturat de „proaste" ce plâng amarnic într-un colț în care nimeni nu le vizitează. Învinețite de atâtea lacrimi. Căci palmele dor mai puțin. Femei ce au uitat cât de puternice au fost odată. Puse acum sub radical. Invadate adânc de impostori de minți și inimi. Amăgite necontenit de niște matematicieni ce vin cu temele făcute de acasă. De acasă de la altele. M-am saturat de „proaste" ce-au uitat să spună „nu" atunci când nenorociții de lângă ele văd doar „da-uri" ce li se cuvin. Femei prostite în cuvinte dulci. Atât de dulci încât devin grețoase. Chiar dacă ele nu-și dau seama.

M-am saturat de „proaste" invitate în pat. Adorate noaptea și uitate atât de repede dimineața. De femei ce se oferă atât de ușor unor indivizi ce le privesc cu ochi hulpavi. Bărbați ce caută-n decolteu în loc să-ți caute printre gânduri. M-am saturat de „proaste" ce aleargă bezmetic după bărbați ce nu ar da doi bani pe ele. De ăștia trebuie să fugi. Nu să alergi.

M-am săturat de „proaste” ce acceptă orice compromis al Ființei. Numai pentru că el îți spune că așa-i normal. M-am săturat de „proaste” „violate” zi de zi. Atât verbal cât și emoțional. Otrăvite sistematic de cuvinte grele. Cuvinte ce apasă greu pe inimă. Atunci când singurul bandaj sunt niște mâini ce au uitat să te mai îmbrățișeze.

M-am săturat de femei ce nu vor să-și deschidă ochii. Femei ce au uitat cum miroase fericirea. Prefer femeile ce mă detestă acum. Dar poate îmi vor mulțumi odată. Am susținut mereu femeia pe care încă unii o numesc „sexul slab”. Nu e slab deloc. E al naibii de puternic. Chiar dacă multe au uitat să se iubească și să fie demne.

Femeie, nu fi „proastă”! Căci tu ești cea mai pură poveste. Nu îi lăsa pe alții să-ți mânjească paginile minții. Ești cea mai fină poezie. Nu îi lăsa pe alții să te pocească-n versurile trupului. Ești cel mai dulce cântec. Nu îi lăsa pe alții să îți fure, clipă de clipă, refrenul inimii.

Femeie, nu fi naivă! Nu te mulțumi cu puțin! Tu poți atât de mult ...

Unii bărbați ți-au încălecat catrenul. Alții, s-au împiedicat de prima rima purtată în părul tău moale. Te-ai lăsat cântată în versuri numai în nopțile în care luna făcea pace cu obrajii tăi. Diminețile erau înghețate. Precum mâinile lui ce au uitat să țină o carte în mână. Ai fost scoasă de pe raftul bibliotecii personale. Ți-ai lăsat mintea și inima să joace un ultim joc ferit de ochii mari și curioși ai lumii.

Femeie, tu ești de la începutul lumii o poezie! Bărbații ar trebui să te recite cald. Iar mai apoi să îți încingă strofele. Departe de singurătatea ființei. Tu ești o poezie! În primul rând pentru tine și mai apoi pentru ceilalți.

Tu poți fi recitată oriunde și oricând. Dar nu de oricine. Pe o plajă în care tălpile tale mângâie nisipul. Pe o alee în care frunzele se joacă cu gleznele tale fine. Pe un pat în care cearceaful se confundă cu pielea. Pe un tablou în care ochii tăi sunt culori ce pictează chipuri. Într-o grădină unde petalele îți țin de cald.

Nu te lăsa uitată! Căci cel nepotrivit îți va batjocori versurile. Se va juca cu rima ta și îți va rupe strofele.

Femeie, tu ești o poezie! Nu permite nimănui să îți încurce versurile! Iar dacă le-a încurcat deja, șoptește-i inimii să le descurce!

Nu pot spune că am cunoscut femei „proaste", ci numai femei naive. Rănite. Unele mai puțin, iar altele, al naibii de mult și de adânc. Cu urme vizibile pe chip. Dacă aș putea despica priviri in inimă, le-aș putea vedea durerea. Cicatricile unei iubiri injectate cu nuanțe de gri și negru. Prea mult negru. Precum o otravă ce-ți ajunge în sânge mult prea repede și se confundă cu el. Aceeași otravă ce îți alterează simțurile și îți sufocă căile respiratorii. E ca vârful ascuțit și ruginit al unui cuțit însemnat de mâini binevoitoare. Unii te înjunghie cu premeditare, iar alții o fac cu zâmbetul pe buzele arse de dorință. Atunci când buzele lui reci au încetat să guste din ale ei.

Femeile sunt inteligente în toate anotimpurile. Chiar dacă unii bărbați își doresc numai o femeie de-o vară, să se răcorească. Alții, o vor pe cea de iarnă. Să-și încălzească trupul înghețat și aspru. Unii nu rezistă până la primăvară, iar ceilalți dispar ca verdele frunzelor în aceleași începuturi calde de toamnă. Iar dacă a

îndurat atâta suferință, nu înseamnă că e proastă, ci poate a iubit la fel de mult.

Bărbatul trebuie să învețe să aprecieze și să iubească femeia. În toate anotimpurile. Atât în diminețile înghețate-n șoapte și în murmur, cât și în după amiezile scăldate în ploi mărunte. Căci dacă o iubești numai când e soare, nu o vei iubi cu adevărat când își ascunde glasul ei domol printre nori. Iar dacă o iubești când e lumină, n-o să-i descoperi frumusețea-n întuneric.

Femeia e inteligentă în toate ceasurile. Și frumoasă. Frumoasă în toate vârstele ei!

Se știe că femeile fericite sunt și frumoase. Un 2 în 1 atât de firesc. M-aș bucura să văd mai multe femei demachiate și iubite acasă decât femei machiate ce își ascund nefericirea la serviciu. Afară toți suntem fericiți. Înăuntru, plângem amarnic. Asemenea unei mașini tunate, îmbrăcată într-o vopsea perlată și sclipitoare. Dar cu motorul stricat! Sau obosit.

Se știe că cele mai frumoase femei sunt cele care sunt iubite. De cine trebuie și necontenit.

Bărbații sunt și ei frumoși. Când iubesc și când se iubesc. Cu asta ar trebui să înceapă toți. Cu ei și continuând cu restul. Femeia frumoasă a înțeles asta. Pentru că frumusețea străpunge alveolele sufletului și emană bucurie în jur.

O mie de farduri nu fac doi bani atunci când inima e amanetată. Când impozitul pe fericire își spune cuvântul. Cele mai scumpe accesorii își pierd din strălucire atunci când femeia nu strălucește fără ele. Așa cum cele mai chic haine se pierd în mulțimea de chipuri hăituite de frânturi de gând și jumătăți de măsură presărate în suflet. Femeia fericită și frumoasă este o binecuvântare. Atât pentru ea cât și pentru cel ce o ține de mână. Unii bărbați preferă femei frumoase. Alții le preferă pe cele fericite. Să nu mai trebuiască să muncească ei prea mult. Bărbații care știu ce vor le prefera pe amândouă.

Frumoasă este deja. Fericită o faci tu!

Nu toate femeile sunt frumoase însă. Și nu mă refer aici la frumusețea fizică! Sunt sigur că fiecare bărbat a cunoscut, măcar o dată în viața lui, o femeie de acest gen. Eu le numesc femei „Made în China”! Sau femeile cu etichetă falsă.

Asemenea parfumurilor „originale" care miros din momentul în care te pregătești să ieși pe ușa și până în momentul când intri în mașină. Sunt femeile care promovează un marketing agresiv în toate „relații de cuplu". Ea investește în corpul ei ca să își crească cota! El investește în ea ca să nu o piardă! Ea se tunează în fiecare zi, iar el încearcă să țină pasul cu mâna pe portofel. Un mecanism perfect pentru cei care se mulțumesc cu jumătăți de măsură.

Femeia „Made în China" nu va reuși niciodată să impresioneze. Este banală și în esență tristă. Ea nu reușește niciodată să atingă inima unui bărbat. Nu va mișca un deget în direcția sufletului și nu va fi niciodată sinceră. Nici măcar în pat. Este femeia care citează din Balzac, dar care nu îl înțelege. Este femeia care îi judecă pe ceilalți, dar pentru aceleași lucruri pe care ea le face și promovează. Este femeia care nu își dorește copii, iar dacă asta se întâmplă va încerca să scape de ei sau îi va crește în pauzele de coafor și fitness.

Femeia „Made în China" are zâmbetul fals și ochii acoperiți de măștile fabricate cu grijă, zi de zi. Sufletul îi este înghețat atunci când nu este amanetat pe sume modice, iar în momentele ei de autenticitate, chipul îi este gol și plin de durere. O durere mascată de fondul de ten prea evident, de rujul prea colorat și de o atitudine teatrală.

Femeia „Made în China" le știe pe toate și, de fapt, nu știe nimic. Dar poate că nici nu își dorește. E mai simplu și fără bătăi de cap. Este femeia care, din păcate, nu se respectă îndeajuns de mult. Femeia care are nevoie de validare continuă și de un bărbat care să întrețină teoretic și practic acest proces. Este femeia trasă la indigo. Femeia ștearsă și uzată. Consumată de principii, de mândrie, aroganță... de un ego inflamat și de complexe. Bărbații inteligenți nu au ce face cu o astfel de femeie.

În schimb, bărbatul second hand, o va adora!

Ce își dorește o astfel de femeie?

De multe ori, nici ea nu știe ce își dorește. În mintea ei există tot felul de combinați. Cu primul se poate întâlni de dimineață. O cafea băută în doi.

Atât timp cât e băută la Mall. Nu te aștepta ca ea să se uite în ochii tăi. Chiar dacă el vrea să-i ghicească în ceașcă. Va căuta privirile altora. De sus în jos și de la stânga la dreapta. Cu al doilea se poate întâlni după masă. O friptură în sânge se mănâncă numai într-un restaurant pe măsură. Chiar și atunci când sângele lui fierbe s-o mai vadă încă o dată. Săracul. Iar dacă friptura nu e friptă, fript va fi el. Cu ultimul se poate întâlni seara. În pauzele de club și de solar. De obicei, ultimul e cel mai bun. E de păstrat. Are privilegiul de a rămâne. Nu în suflet, ci peste noapte. O noapte înmiresmată de vinuri alese și plăceri mimate. Își dorește haine. Care mai de care mai colorate și în trend. Pentru ea, o bluză scumpă e mult mai importantă decât un sărut sincer, seara. Își dorește parfumuri. Deși, pe interior e afumată. S-ar da în fiecare zi cu altul. Atât timp cât e mereu... un altul! Își dorește plimbări lungi și dese. Cu mașina. Mașina altora. Își dorește selfie-uri nevrotice în locații, aparent exotice. Multe dintre ele își fac poze în drum spre baie. Altele se împiedică. Pe același drum și pe aceleași tocuri. Mai rar întâlnești vreuna care să se împiedice de pragul inimii. Cele mai multe se opresc în fața bancomatului. Căci inima atunci începe să tresară.

Își dorește silicoane. Și nu pentru că ar avea sânii urâți sau deformați. Ci pentru că și prietena ei are. Își dorește unghii false. Pentru a intra în ton cu caracterul. Botox. Nu pentru a săruta și alte buze, ci pentru a și le admira în aceeași oglindă ce reflectă un telefon în depărtare.

Își dorește să fie apreciată. Dacă s-ar iubi măcar un pic, nu ar avea nevoie de confirmări. Își dorește atenție. Chiar dacă atenția ei e distributivă. Își dorește plăceri. De moment. Cele lungi consumă multă energie. Își dorește să fie cunoscută. Mai mult pentru ceea ce poate primi și nu pentru ceea ce poate oferi. Își dorește o iubire. Mai mult una pasageră. Pe celelalte le-a ratat cu brio.

Își dorește multe. Problema e că, de cele mai multe ori, acceptă să se mulțumească cu puțin.

La final de zi, își dorește să iubească și să fie iubită. Unele se vor trezi.

Nu există femei fără majuscule. Există numai bărbați care nu se respectă. Însă există și femei care nu se respectă. E plin pământul de ele. Femei ce confundă aparența cu esența. Ce mai contează ce lăsam în urmă atât timp cât trupul este îmbrăcat și strălucește. Ce mai contează un suflet dezbrăcat și gol atât timp cât defilăm cu altceva. Ce mai contează cu cine suntem atât timp cât unde suntem e mult mai important. De ce ne-am mai uita în oglinda interioara atât timp cât cea exterioară ne hrănește ego-ul!

Peste zece ani nu va mai conta nimic. Nici poșeta Louis Vuitton pe care o purtai la braț, nici pantofii Gucci Sofia și nici parfumul scump ce masca atât de bine o viață atât de ieftină. Peste zece ani nu va mai conta restaurantul de lux în care ai mâncat zi de zi și nici serile pe repeat ce le savurai sub același clar de lună. Pun pariu că ai uitat cât de frumoasă este luna. Nici nu aveai cum s-o observi. Singurele luni visate erau lunile de miere. Însă cu un gust atât de amar.

Există femei care au uitat de unde au plecat și femei care nu știu încotro s-o apuce. Așa cum există femei ce cred că a fi „la modă” este privilegiul celor norocoase. Eu cred că nu e niciun privilegiu. E doar un prilej. Un prilej de trezire din iluzia pe care singure o întrețin. Problema este că majoritatea sunt, la rândul lor, întreținute.

Într-un final, totul ține de conștientizare, de un cutremur al ființei prin care femeia de acest gen trebuie să treacă. Pentru că cele mai multe tragedii nu se petrec afară, ci înăuntru.

Când se va petrece acest cutremur? Cum și când? Simplu: Când se vor îndrăgosti! Când aripa dragostei le va atinge, încet, încet, poate prin suferință, se vor lumina. Căci da, iubirea este o iluminare, un jar care ne încălzește inimile și ne pune întrebări, despre noi și despre cei din jur. Poate că am descris mult prea simplist, chiar caricatural, femeia „Made in China"! Există și bărbați așișderea! Și unii, și alții trebuie priviți cu... duioșie! Ei nu sunt decât niște copii care refuză încă să se maturizeze, un produs al consumerismului în care trăim și căruia cu greu îi faci față dacă nu ești copt. Și unii, și alții – niște adolescenți întârziați.

**Peste 10 ani nu va mai conta nimic.
Nici poşeta Louis Vuitton pe care
o purtai la braţ, nici pantofii Gucci Sofia
și nici parfumul scump ce masca
atât de bine o viață atât de ieftină.**

Peste 10 ani nu va mai conta restaurantul de lux în care ai mâncat zi de zi şi nici serile pe repeat ce le savurai sub acelaşi clar de lună. Pun pariu că ai uitat cât de frumoasă este luna. Nici nu aveai cum s-o observi. Singurele luni visate erau lunile de miere. Însă cu un gust atât de amar. Peste 10 ani cel mai frumos este să ai pe cineva aproape. E tot ce contează cu adevărat.

CAPITOLUL V

FĂ-ȚI CURAJ!

În ziua de azi, nu mai este „cool" să iubești. La fel cum nu mai este deloc „cool" să fii iubit. E mult mai cool să primești. Nu o floare, ci o poșetă. Nu un zâmbet sincer, ci o invitație în Mall-ul aglomerat și plin de fițe mondene. Nu o îmbrățișare ca un gând, ci un abonament la spa-ul dinafara orașului. În ziua de azi, e mai important clubul nou care s-a deschis în suburbia ta decât o carte ce te poate învăța infinit mai multe.

E mult mai fancy să vă întâlniți în cafenele de lux, intoxicați fiind de fumul ignorant al celor din jur, decât să vă plimbați, Ținându-vă de mână, în parcul ce așterne un miros de ozon! În ziua de azi, e mai sexy o plimbare cu Mercedes-ul decât șezutul pe o bordură ce îți amintește de anii copilăriei. Vă plăceți mai mult pe Facebook decât în realitate. Vă aruncați cuvinte mari și dulci, fără a cântări greutatea lor în inima celuilalt. Unii nici nu mai apucă să se întâlnească.

Deși, s-au adorat atât de mult în poze și cuvinte alese. În ziua de azi, romantismul este dat la schimb atât de ușor cu plăcerile de moment.

Iubirea a devenit un „lux”. Luxul celor puternici, care încă mai speră în frumos. Oamenii și vremurile s-au schimbat enorm. Oamenii au uitat ceea ce contează cu adevărat. Dar, cel mai important, oamenii s-au uitat pe ei.

Nu cred că a murit nimeni din dragoste. Poate din lipsa ei. Sau din lipsa lui. Dorul doare cel mai tare. E ca și cum ar plânge după iubire. Oricât ar fi de aproape în minte și în inimă trebuie să îi simți și trupul. Altminteri, e ca și cum ai intra în apă, îmbrăcat. Numai că el vrea să te dezbrace. De gânduri. De așteptări. De răni ce acum s-au cicatrizat în tropotul clipelor în care amândoi plângeați unul după celălalt. Hainele rămân la urmă. Dar și pe alea le veți da jos. Asemenea unui ritual ce naște tot mai mulți adepți în arta de a iubi. Nu cred că a murit cineva din iubit. Iubirea îți dă aripi. Numai partenerul nepotrivit ți le taie. Atâta tot. Pe viitor, vei fi mai atent. Dar vei iubi la fel de mult.

Nimeni nu a murit din dragoste. Cei care dau vina pe ea, și-au schilodit doar ego-ul. El e singurul care suferă. Asemenea copilului ce plânge după hrană sau... atenție! Iubirea este și se simte. Îți alungă răspunsurile și nu îți fabrică alte întrebări. Îți dă putere să te apropii de celălalt, să îl privești mereu în ochi, să îl dorești mereu aproape și să-i oferi bucăți din tine. Cel care nu are timp de iubire nu va avea timp nici de gândit. Nu va avea timp pentru o floare sau pentru un sărut furat în toiul zilei. Nu va avea timp să te contemple, să te viseze și să te caute în vis. Să te ia de mână și să nu îți mai dea drumul.

Iubirea are întotdeauna timp. Oamenii nu mai au timp de iubire. Eu zic să ne facem timp. S-avem curaj din nou. E singurul moment care contează. Numai atunci suntem noi cu adevărat. Numai atunci ieșim din coma ignoranței. Atunci simțim că trăim.

Cu și pentru cineva... Un cineva care ne-a dărâmat universul și l-a reconstruit la loc, sub ochii noștri, care se întâlnesc cu celălalt.

Ce bine e să știi că poți pune capul, liniștit pe pernă. Să te trezești cu același zâmbet care te-a încercat cu o seară în urmă. Să știi că poți merge la serviciu, zâmbindu-le nonșalant celor care nu te înghit. Să te întorci acasă, la puținul pe care îl ai, dar care te liniștește. Să te mulțumești cu puțin e precum o lamă cu două tăișuri. Dar atunci când mulțumești pentru puținul pe care îl ai, te vei simți binecuvântat. Alții, poate nu au deloc. Și tot nu poartă-n inimă, venin.

Nu i-am înțeles niciodată pe cei care au vrut mereu să aibă mult. Din ce în ce mai mult. O avalanșă de griji în plus. Precum cei care își cară după ei bagaje inutile atunci când pleacă în concediu. O bluză pentru fiecare zi. Un zâmbet fabricat pentru fiecare oră.

Să fii recunoscător pentru ceea ce ai înseamnă să accepți ceea ce ești și poți. Unii au puțin și se înclină. Alții au atât de mult încât nu le ajunge o viață. Mulți dintre ei, nu se mai recunosc nici în oglindă.

Ce bine e să ai puțin și puținul să-ți ajungă. Precum o ploaie scurtă de vară, dar intensă. Asemenea unui aperitiv ce te răsfață, dar nu îți umple burta. Ca o plimbare pe bicicletă ce nu îți obosește gleznele. Ca un sărut la timpul potrivit. Ce îl așteaptă pe al doilea. Chiar dacă nu se-ntâmplă în aceeași zi.

Uneori, mai puțin înseamnă mai mult.

Să nu răzi niciodată de puținul altora. Pentru tine poate fi nimic. Pentru ei... poate fi totul!

Ar trebui să fim recunoscători în fiecare zi pentru ceea ce avem. Să mulțumim pentru faptul că avem un acoperiș deasupra capului. Că avem unde să-l așezăm după ce ne înfruptăm din bucatele din frigider. Ar trebui să mulțumim zi de zi pentru hainele care ne îmbracă. Pentru micile plăceri care, pentru unii, ar fi cascade de bucurii. Pentru puținii prieteni pe care îi avem. Pentru oamenii dragi de lângă noi.

Sunt oameni care nu au nimic. Singurul lor acoperiș e făcut din stele și din norii care plâng, noapte de noapte, în taină. Sunt oameni care nu au ce să mănânce. Singura lor hrană e făcută din fărâmituri aruncate între două ceasuri care bat în șoaptă.

Sunt oameni care nu au ce să îmbrace. Singurele lor veșminte sunt o pereche de pantofi. Unul de un fel și celălalt de alt fel. Legați cu ață. Atunci când tălpile roase și arse de praf nu se opresc din sângerat.

Sunt oameni care nu mai au familie, prieteni, o voce caldă sau un umăr moale care să le îmblânzească demonii. Sunt oameni care au doar îngeri. În clipele cele mai negre și mai aspre. Atunci când inima și sufletul sunt în eclipsă. Când lacrimile lor pătează anotimpuri. Sunt oameni care nu-și găsesc liniștea. În diminețile în care nimeni nu-i trezește. În nopțile în care nimeni nu-i adoarme. În lunile cu soare și în serile cu ploi și vânt.

Sunt oameni care nu mai au nimic. Însă îl au pe Dumnezeu. Atunci au tot. Mulțumește ieri, azi și mâine! Căci ce folos să le ai pe toate atunci când viața ta nu are rost?

Indiferent de locul în care te afli în acest moment, indiferent de ocupația pe care o ai, indiferent de faptul că ești singur sau într-o relație, indiferent că ai puțini bani sau foarte mulți, indiferent de faptul că ești femeie sau bărbat, indiferent de faptul că acum ești calm și relaxat sau mânios și neliniștit, indiferent de faptul că acum ești slab sau gras, indiferent că iubești sau ești iubit, te invit în continuare să citești următoarele rânduri care, sper eu, te vor ajuta să privești cu alți ochi persoana pe care îți dorești să o vezi în oglindă, necontenit. Persoana care știe să se bucure de ea, să aprecieze viața, să primească și să ofere iubire, în egală măsură, de la oamenii care o înconjoară.

Aceste rânduri sunt menite să îți deschidă ochii și să îți destupe urechile. Să îți deschidă mintea și inima și să le aducă într-un echilibru. Nu îți voi spune cum să obții „fericire la buzunar", nici cum să „te îmbogățești la minut". Nu îți voi spune cum să găsești iubirea adevărată și nici cum să ieși dintr-o relație toxică. Te voi invita doar să reflectezi, să-ți pui împreună cu mine câteva întrebări vechi, de când lumea, despre adevăr, frumusețe, iubire, despre viață. Tu singur, dragă cititorule, îți vei găsi propriile răspunsuri, numai tu! Mai jos sunt câteva răspunsuri pe care eu mi le-am dat la unele din întrebările care mi-au răsărit pe drumul vieții. Mereu, alte și alte întrebări se vor deschide în fața voastră, important este să nu le ocolim, căci răspunsul se află în noi înșine.

Paginile care urmează nu sunt un „tratat despre fericire” și nici „adevărul absolut al vieții”, ci doar o călăuză în drumul tău și o scânteie care va încerca să aprindă focul inimii, descătușarea minții, a ființei și echilibrul sufletului. La final, sper din toată inima ca aceste rânduri să nu te lase indiferent!

Încredere în Dumnezeu și apoi în tine!

Sunt foarte mulți oameni care s-au îndepărtat de Dumnezeu, l-au uitat sau chiar l-au îngropat sub preșul ignoranței și al slavei deșarte. Foarte mulți oameni care și-au construit un Dumnezeu fals în ochii lor și ai celorlalți: Ei înșiși.

Centrați prea mult asupra noastră, credem că Dumnezeu nu are niciun cuvânt de spus în drumul nostru orb spre fericire. Eu spun altfel. Eu spun că fără Dumnezeu, nimic nu este posibil. Nimic din ceea ce trăim sau din lucrurile și oamenii pe care îi dorim aproape în viața noastră, zi de zi. Este foarte ușor să vedem Frumusețea lui Dumnezeu în lucrurile minunate care ni se întâmplă sau în momentele însorite și pline de bucurii. Este foarte greu însă sau aproape imposibil să distingem amprenta divină în lucrurile mai puțin bune, în necazurile pe care le înfruntăm și în ceasurile grele pe care le îmbrățișăm cu atâta suspin.

Și totuși, Dumnezeu există, iar dacă te-a adus în acest punct critic nu înseamnă că te va lăsa să lupți singur în războiul minții și al inimii. Tot ceea ce Dumnezeu a creat are un potențial sfânt. Lucrarea noastră, a oamenilor, este să găsim sfințenie în situațiile, aparent, lipsite de ea. Atunci când vom învăța să facem acest lucru, să ne deschidem ochii spre miracolul creației divine din jurul nostru, vom învăța să ne hrănim spiritul. Ai încredere! Este un prim pas în a avea încredere în tine și în oamenii de lângă sufletul tău.

Învață să fii tu și să te accepți!

Cei mai importanți oameni din viața ta sunt cei care te acceptă cu totul. Atât calitățile cât și defectele sunt coordonatele omului de lângă tine și ale omului pe care îl vezi, zilnic, în oglindă. Cei care acceptă doar frumusețea, inteligența și bunătatea ta însă, de cele mai multe ori, fug de părțile tale negative sunt oamenii de care ar trebui tu să fugi. Să fugi și să nu te mai uiți înapoi!

Tu ești o minune! Cu bune și rele. Iar cei care vor să facă parte din viața ta ar trebui să înțeleagă asta! Înainte de toate, prima persoană care ar trebui să înțeleagă toate aceste lucruri ești tu!

Trăiește o viață în cinste și morală!

Nu cred că există oameni care ar putea trăi fericirea în detrimentul acestor valori. Să îți clădești fericirea pe nefericirea altora, călcând peste cadavre și îngropând definitiv calitățile fundamentale ale ființei nu a fost niciodată soluția unei vieți fericite.

Dimpotrivă, a reprezentat întotdeauna calea cea mai sigură înspre nefericire și cădere.

Într-o lume în care oamenii nu mai au frică de Dumnezeu, respect pentru familie și pentru prietenii de-o viață, într-o lume în care fericirea celorlalți este răsplătită cu invidie și răutăți gratuite, o lume în care oamenii își trădează partenerii de viață fără a clipi, într-o lume în care iubirea strigă prin toți porii și toate vasele universului pentru a fi găsită, o lume în care oamenii își vând trupul și sufletul pentru plăceri și iluzii de moment, o lume în care credința este confundată cu mersul în cluburi, iar rugăciunile sunt acum amintite doar în ceasuri de necaz și negru, într-o lume în care caracterului a devenit o piatră rară, asemenea inteligenței...

Singura noastră salvare o reprezintă căutarea noastră interioară și cunoașterea prin credință și iubire. A noastră și a celor din jurul nostru. Începe cu tine și continuă cu ceilalți. Trăiește o viață curată.

Tot ceea ce ți se întâmplă este pentru că ai nevoie de această experiență!

Atunci când treci printr-un necaz sau când întâmpini o greutate în viața ta, trebuie să îți aduci aminte de faptul că nimic nu este întâmplător, nimic din ceea ce ți se întâmplă, bun sau rău, nu se întâmplă fără rost. Caută sensul adânc al oricărei „întâmplări" și vei înțelege că totul este înspre binele tău.

Există oameni care își pierd sensul vieții dar care, în urma unei boli grave sau în urma unui accident ajung să îl regăsească. Există oameni care ajung să prețuiască Viața, cu tot ceea ce înseamnă ea, în urma unor evenimente nefericite sau neașteptate. Viața ne-a demonstrat de fiecare dată că noi trebuie să ne învățăm lecția, mai devreme sau mai târziu.

Unele întâmplări pot surveni într-un mod repetat, sub alte forme, până când vom ajunge să tragem învățămintele necesare evoluției noastre. Dacă ți-ai rupt piciorul este pentru că ai avut nevoie să ți se întâmple acest lucru.

Dacă ai întâlnit un om care te-a rănit și care te-a abandonat este pentru că ai avut nevoie de această întâlnire tocmai pentru a învăța să fii mai puternic și mai atent cu persoanele ce apar în viața ta. Dacă ai pierdut mulți bani este pentru că ai avut nevoie de această experiență pentru a te ridica și a-i face la loc sau chiar a-i înmulți. Și dacă nu-i mai faci, nu-ți pierde sufletul pentru bani!

Nimic din ceea ce ni se întâmplă nu este la voia întâmplării. Când vei fi conștient de acest lucru vei reuși să pășești într-o altă lumină și vei vedea lucrurile și oamenii din Viața ta ca pe o completare sublimă a Ființei tale.

Astăzi sunt mai puternic decât ieri, iar mâine voi fi mai puternic decât astăzi!

Ești puternic atunci când ai încetat să mai plângi. Atunci când ai încetat să regreți alegerile pe care le-ai făcut în trecut pentru sufletul și inima ta. Ești puternic atunci când toate dezamăgirile prin care ai trecut s-au transformat în lecții de viață. Ești puternic atunci când ai ajuns să te accepți pe tine, indiferent de falsitatea, invidia, răutatea celor din jurul tău. Ești puternic atunci când îți conștientizezi slăbiciunea, când îți înțelegi fragilitatea! Ești puternic pentru că-ți poți învinge neputința!

Ești puternic pentru că te-ai ridicat de fiecare dată când ai căzut, ai început să crezi atunci când ai învins deznădejdea, ai început să îți ierți trecutul și ai început să te iubești! Ești puternic pentru că ai ales să nu stai niciodată în genunchi, chiar și când aceștia sunt zdrobiți de fantomele trecutului și ale lacrimilor uscate. Ești puternic pentru că nimic nu îți poate sta în cale. Ești puternic pentru că ai fost născut un învingător. Să nu uiți niciodată acest lucru!

Tu poți și tu meriți tot ceea ce este mai bun!

Când vei conștientiza că:

Tu ești ceea ce arăți cu degetul. Tu ești ceea ce vezi în oglindă. Tu ești ceea ce critici. Tu ești ceea ce iubești. Tu ești ceea ce urăști. Tu ești ceea ce mănânci. Tu ești ceea ce asculți. Tu ești ceea ce inspiri. Tu ești ceea ce expiri. Tu ești înger.

Tu ești demon. Tu ești dușmanul tău. Tu ești eroul și salvatorul tău. Tu ești nimic. Tu ești totul. Tu ești ceea ce vor ceilalți să vadă. Tu ești ceea ce accepți ca ceilalți să creadă. Tu ești pace. Tu ești război.

... atunci vei înțelege că tu și numai tu poți fi ceea ce îți dorești cu adevărat!

Ieși din zona de confort!

Zona de confort este cel mai nepotrivit „partener". Este „cel mai bun" prieten cu câștig pe termen scurt. Și atât! Adevărata evoluție, dezvoltare și tot procesul ulterior începe atunci când ieși din zona de confort! Atunci când suferi, când plângi, când te zbați și când hotărăști să ieși din comoditate.

Nu vei putea ajunge niciodată ceea ce poți deveni atât timp cât rămâi în zona de confort! Îți dau un exemplu simplu: corpul tău niciodată nu va dori să iasă din zona de confort. El își dorește mereu să fie odihnit, leneș, protejat. Nu este un lucru neapărat rău. Dar atunci când îți dorești să slăbești, va trebui să ieși din zona de confort care îți spune: nu fă efort!

Va trebui să transpiri, să alergi, să te miști pentru a ajunge la rezultatul dorit. E doar un exemplu! În final, zona de confort reprezintă tot ceea ce te oprește din drumul tău spre împlinire și din realizarea visurilor tale.

Ieși din zona de confort! Zona de confort e un paradox subtil și chinuitor al Ființei. Zona de confort hrănește ego-ul, însă distruge orice altceva. Zona de Confort nu îți aduce confortul pe termen lung. Dimpotrivă, îți aduce mizerie, suferință, frustrare, amăgire, emoții contradictorii, lacrimi și pete amare în suflet. Zona de confort e o bombă cu ceas. Surprinzător este faptul că nu trebuie să o dezamorsezi, ci să o detonezi și să ieși din ea. Să suferi, să transpiri, să muncești cu tine și pentru tine, să crezi, să speri și să continui. Să continui lupta. Zona de confort ucide! Ucide încrederea, ucide planuri, ucide viziuni, ucide visul și speranța, ucide ființa încetul cu încetul, ruginește mintea și inima și paralizează trupul. Zona de confort nu îți este prieten. E un dușman. Cel mai mare dușman deghizat în zâmbete și promisiuni deșarte.

Zona de confort este, practic, zona de disconfort a Eu-lui superior ce strigă în zadar să fie salvat. Fă-i vocea auzită! Ieși din zona de confort! Fii fericit! Și începe de azi!

Pune pasiune în ceea ce faci, credință în ceea ce întreprinzi și iubire în oameni!

Așa cum pianistul picură iubire în muzica lui, precum un pictor îmbrățișează cu atât dor culorile ce dau contur siluetelor sale, la fel cum credinciosul pune atâta iubire în rugăciunile rostite cu atât patos, tot așa trebuie să trăim și noi. În absolut tot ceea ce facem. În absolut tot ceea ce simțim și trăim. Pornind de la lucruri simple și continuând cu cele complicate. Pornind de la noi și continuând cu ceilalți. În tot și în toate!

Nu disprețuiți niciodată pe nimeni. Nu invidiați niciodată pe nimeni. Nu urâți niciodată pe nimeni. Nu vă uitați în jos niciodată la nimeni. Nici la vânzătorul de la alimentara de lângă voi. Nici la tiristul plecat mai mereu pe drumuri. Nici la cel care nu a citit o carte în viața lui. Fiecare om are rolul său în acest univers și fiecare dintre noi are un loc sub soare! Nu uitați că până și cel mai mare păcătos poartă în el chipul lui Dumnezeu!

Fiți iubire și veți fi înconjurați de iubire!

Nu există oameni perfecți!

Oamenii care caută perfecțiunea în ceilalți sunt cei care, în esență, încearcă să își ascundă propriile defecte. Nu există oameni perfecți. Fiecare om de pe acest pământ vine în Viața noastră cu un bagaj mai mult sau mai puțin dorit. Un bagaj al defectelor pe care îl judecăm atât de aspru și dur, dar nu îl vedem și în noi înșine.

Învață să „adori" imperfecțiunile tale și ale celuilalt și să lucrați împreună la corectarea lor! Nu există oameni perfecți. Doar momente perfecte, povești de dragoste și de viață perfecte și iubire. Multă iubire. Iubirea înseamnă perfecțiune. Tinde spre asta. Iar când vei reuși să te accepți tu pe tine, cu toate calitățile și defectele tale, vei reuși să accepți și viața cu bucuriile și tristețile ei!

Păstrează în viața ta oameni care sunt sau vor să fie cu tine. Nu pe lângă tine!

Dă-i la o parte pe cei care te trag în jos pentru a face loc oamenilor cu adevărat calzi și vii în viața ta. Dă la o parte gândurile negative și convingerile limitative pentru a face loc lucrurilor pozitive. Nu vei putea niciodată să gândești, să simți și să trăiești pozitiv dacă ești înconjurat mereu de oameni și gânduri care alimentează continuu aceste stări bolnăvicioase.

Așa cum te poți gândi la lucruri negative, în egală măsură vei putea să te gândești și la lucruri pozitive, fără a mai lăsa loc „răului" să te copleșească. Gândește pozitiv și molipsește-i pe cei din jurul tău cu aceeași stare. Pentru că tu te-ai născut să fii fericit!

Câteodată, singurătatea este necesară!

Cele mai multe persoane consideră singurătatea ca fiind un lucru rău, un lucru de care oricine ar trebui să se ferească. Greșit. Singurătatea își are rolul ei. Uneori, e bine să fii singur decât în relația nepotrivită sau într-o relație superficială. A fi singur îți permite să reflectezi asupra propriei persoane, asupra trăirilor proprii și a emoțiilor tale.

Este ca un fel de antrenament al inimii și al minții înainte de a te angaja într-o relație autentică, conștient fiind de dorințele tale și de cum ar trebui să te raportezi la celălalt. Este o foarte bună metodă de regândire a socialului și o foarte bună formă de autocunoaștere. Numai atunci îți vei da seama cât de mult valorezi tu ca om și ce anume trebuie să cauți și în ceilalți posibili parteneri. Așadar, fiți singuri, dar nu pentru mult timp!

Iubește și acceptă iubirea!

Oamenii au uitat să se mai îndrăgostească. De ei înșiși și de ceilalți. Totul e acum o grabă. Un test gratuit. Momentele frumoase sunt învăluite în scepticism, în teamă, în așteptare. Ne așteptăm unul pe celălalt grăbindu-ne. Avem tendința de a căuta defectele celuilalt, de a stărui asupra lor și de a le exacerba, fără a lua în considerare calitățile omului de care am putea să ne îndrăgostim!

Suntem prinși într-un joc reciproc al așteptărilor și uităm să mai credem în vorbe pentru a mai ajunge să vedem fapte. Suntem fascinați de misterul persoanei de lângă noi dar speriați de o cruntă dezamăgire. Nu ne mai deschidem suficient pentru a nu părea vulnerabili, iar atunci deveni invulnerabili. Invulnerabili iubirii, deschiderii către celălalt...

Ajungem să ratăm șanse, oameni, întâlniri, trăiri, emoții... Doar pentru că ne este teamă să ne îndrăgostim! Uităm să ne lăsăm purtați de marea de foc și de gheață a omului din fața noastră... Dar poate în asta constă frumusețea mării și a vieții: în neliniște. Să lăsăm dragostea să hotărască!

Împacă-te cu fantomele din trecut și fă pace cu demonii tăi interiori!

Oamenii refuză să se împace cu trecutul. Și, de cele mai multe ori, se întorc mereu la el pentru a retrăi momente frumoase și emoții puternice lângă persoane de care au avut nevoie într-un anumit moment al vieții lor. Trecutul nu trebuie regretat. Dar trebuie asumat și lăsat acolo unde îi este locul. Iar oamenii care au făcut parte din trecutul tău și la care ai renunțat pentru că ți-au făcut rău, trebuie lăsați acolo.

Accesând aceleași amintiri și aceleași momente nu faci decât să bați pasul pe loc. Asta nu e evoluție. Nu e dezvoltare. Este distrugerea minții și a inimii. Împacă-te cu trecutul tău și te vei împăca cu tine. Amintește-ți de oamenii dragi ție și uită-i pe cei care te-au uitat, la rândul lor. Doar așa vei reuși să faci pace cu demonii ființei și să o eliberezi din chingile regretelor pustii.

Trăiește în prezent!

Se spune că oamenii inteligenți trăiesc în prezent. Dar ce înseamnă, de fapt, să trăiești în prezent? Trecutul ne definește, iar prezentul ne pregătește viitorul. Să trăiești prezentul înseamnă să fii conștient de momentul „aici și acum". Pentru că „ieri" s-a încheiat, iar „mâine" încă nu este aici.

Să trăiești prezentul înseamnă să fii pe deplin conectat la clipa de acum, eliberându-ți mintea și inima de regrete, de anumite decizii greșite pe care le-ai luat în trecut și de oportunități ce se pot ivi în viitorul mai mult sau mai puțin apropiat. Să trăiești prezentul nu înseamnă însă să îți renegi trecutul și să refuzi viitorul, ci să îți accepți necondiționat ființa și să te poți bucura de ea, fără a fi influențat de umbrele trecutului și a tine cont de perspectiva zilei de mâine. Aici și acum! Este tot ceea ce ai și ceea ce contează cu adevărat!

Nu alerga după dragoste înainte de a învăța să oferi!

Te vei împiedica din doi în doi metri de orgolii, de așteptări, de ego-ul tău. Atunci când oferi, nu te aștepta să primești. Altminteri, nu faci o depunere, ci o retragere! O retragere simbolică dinăuntrul ființei tale și o alimentare a ego-ului ce urlă prin toți porii.

Să oferi sincer, fără a aștepta nimic în schimb înseamnă să primești înzecit. Pentru că iubirea se dăruiește. Dăruiește! Și nu pentru a primi înapoi aceleași daruri, ci pentru a învăța iubirea. Numai atunci fericirea își va face simțită prezența. Numai atunci fericirea îți va umple fagurii sufletului.

Ființă, nu ego!

Invidia, orgoliul, minciuna, ura, intriga, furia prostească, răutatea... Plus multe altele. Toate patimile scăpate din cutia Pandorei reprezintă fațete ale ego-ului. în niciun caz ale ființei. Atunci când vei învăța să distingi trăirile ființei de cele ale ego-ului și când vei aduce un echilibru în mintea și inima ta, curățându-te de toata negativitatea ce îți întunecă sufletul și îi rănește pe ceilalți, doar atunci vei reuși să intri în acord cu ființa ta și să ai parte de trăiri autentice și sentimente nobile. În primul rând față de tine și mai apoi față de ceilalți.

Se spune că ego-ul ar avea peste 19 000 de fațete. Un număr colosal de măști pe care fiecare dintre noi le poate încerca și purta în diferite momente ale vieții. Dar ce poate fi mai frumos decât sentimentul pur de bunătate și iubire a propriei ființe și a celorlalți? Îmblânzește ego-ul și renaște iubirea în ființa ta! Debarasează-te de măști și aruncă-le! Începe acest exercițiu cu tine și repetă-l la infinit!

**Fii prieten cu iubirea
și vei cunoaște liniștea!**

Dragoste cu forța nu se poate, dar forța dragostei poate orice!

Toată literatura lumii ne-a lăsat povești extraordinare de iubire. Aproape că nu există poet sau prozator mare care să nu fii tratat în opera lui tema iubirii, forța cosmică a universului care ne dă sens vieții. Înveți enorm despre lume, citind marile romane de iubire, pentru că iubirea este și o formă de cunoaștere a lumii prin intuiție, prin suferință sau extaz. Ea este și o formă profundă de auto cunoaștere.

Din fiecare poveste a voastră sau a prietenilor din viața reală, învăț la fel de mult despre iubire sau poate chiar mai mult decât din cărțile lumii. Și știți de ce? Pentru că fiecare poveste are ceva comun. În același timp, fiecare poveste de iubire este unică, extraordinară. Este doar povestea cuplului respectiv. Ei doi în fața universului! Este minunat, înălțător!

Să trăiți povești minunate de iubire! Așa veți cunoaște lumea și pe voi înșivă și, mai mult decât atât, veți înnobila și veți transforma lumea cu povestea voastră de iubire! Iubiți și fiți iubiți!

Sărutați mai des,
îmbrățișați mai intens
și spuneți-vă cuvinte frumoase!

Sunt niște lucruri atât de simple și de sincere atât timp cât sunt făcute sincer și împărtășit. Unii dintre voi ar întreba: Bine, dar dacă nu avem pe cine îmbrățișa, săruta sau iubi? Începe cu propria ființă!

Simbolic, învață să te iubești, și să îți îmbrățișezi ființa zi de zi și clipă de clipă. Așa vei reuși să fii pregătit atunci când vei putea împărtăși iubirea persoanei sau persoanelor dragi din viața ta. Îmbrățișările sunt gratuite. Săruturile înseamnă iubire, iar iubirea înseamnă totul.

Nu te compara niciodată cu nimeni!
Tu ești unic!

Orice încercare de a te compara cu ceilalți va aduce frustrări și neliniște. Nu privi în sus. Privește în jos. Sau, și mai bine, privește înainte și prețuiește sincer clipa prezentului pur.

Fie că o faci singur, fie că o faci însoțit, învață să te raportezi în primul rând la tine și mai apoi la ceilalți. Dar niciodată comparativ. Pentru că fiecare om este unic și are rostul lui pe pământ. Sună banal, știu, dar oare câți dintre noi nu picăm la testul înțelegerii acestei „banalități”?

Fii recunoscător!

Cineva, undeva, duce o luptă mult mai grea și mult mai mare decât a ta. Viața, prin întâmplările și oamenii pe care ni-i aduce în preajma noastră ne arată că trebuie să fim întotdeauna recunoscători pentru ceea ce avem și să mulțumim zi de zi pentru tot ceea ce ni se întâmplă. Iar sună banal, dar câți dintre noi uităm acest lucru, v-ați întrebat?

Tu poți orice! Dar, mai important decât atât este că tu ești un om minunat! Așa cum ești tu! Descoperă și apreciază frumusețea în tine și în tot ceea ce te înconjoară și când îți vine să te încrunți, zâmbește! Zâmbește de fiecare dată!

Tu poate ai puțin. Alții nu au deloc.

Fericirea este o alegere.
Alege să fii fericit!

În loc să aștepți mereu ca nevoia ta de împlinire și de iubire să fie satisfăcută din surse exterioare, încearcă să te cauți în tine, să lucrezi din interior și să pleci de acolo în absolut orice gând, trăire sau emoție.

Există o fărâmă de cer în interiorul tău pe care tu o ignori și nu o lași să se manifeste. O fărâmă dumnezeiască, o scânteie divină ce așteaptă să lumineze. Începe să lucrezi mai mult cu tine, iar această forță invizibilă te va ajuta să găsești adevărata fericire și împlinire sufletească. Începe să devii tu, să te reconstruiești, să te redescoperi.

Atunci când vei înțelege natura ta divină, vei putea trăi în armonie cu ceilalți, cu universul și cu Dumnezeu. Fericirea este în tine. Nu lângă tine, nu în jurul tău și nu în trecutul sau viitorul tău. Fericirea este aici și acum. E timpul să simți cu adevărat potențialitatea ființei tale și să o descătușezi. E timpul să îți revendici dreptul la cunoaștere. Dreptul la fericire și iubire!

Ai grijă de trupul tău!

Corpul tău este un templu. Mintea și inima ta sunt lumina dinlăuntrul său. Înainte de a primi și alte suflete înăuntru, asigură-te că lumina este una curată și pozitivă! Altminteri, veți sălășlui orbiți, în beznă inimii! Plecând de la „O minte sănătoasă într-un corp sănătos", aveți grijă de trupul vostru. Trupul nu există înafara sufletului.

Pentru a găsi echilibrul sufletului, mintea, inima și trupul vostru trebuie să fie în armonie. Un trup neîngrijit nu va putea găzdui niciodată o minte lucidă așa cum un trup leneș nu va putea niciodată ocroti o inimă sinceră. Ocrotește-ți trupul și antrenează-l în fiecare zi. Fie că vorbim de exerciții fizice sau, pur si simplu, de o plimbare cu bicicleta, fie că vorbim de o dietă sănătoasă sau de un stil de viață echilibrat, toate acestea duc la îngrijirea trupului și la o viață împlinită și curată.

Există o adevărată modă pe internet, în media, în general, despre tot felul de tehnici de a ne modela trupul. Nu despre acest lucru este vorba aici, ci de legătura minunată a trupului cu mintea și cu sufletul. Nu este vorba de a ne chinui trupul pentru a etala o siluetă de top model, ci de a-l îngriji cu dragoste și respect pentru ideea de creație care s-a sălășluit în el.

Timpul, cel mai bun camarad

Timpul a vindecat întotdeauna cele mai adânci răni ale sufletului, cu adevărat, cel mai mare vindecător în tot acest proces am fost noi înșine. Timpul trebuie văzut ca un aliat și nu ca un dușman. Atunci când înveți să îți gestionezi resursele, când înveți să jonglezi cu ele și când reușești să combini toate acestea în favoarea ta, timpul te va răsplăti. Așadar, învață să îți faci din timp un camarad de nădejde. Nu te baza pe el, lucrează împreună cu el! Rezolvă problemele fără să-ți spui mereu: „și mâine e o zi". Timpul este un prieten însă doar atunci când încetăm să-l irosim.

Familia este sfântă

Nu există fericire mai mare decât a te regăsi în sânul unei familii puternice, iubitoare, a unei familii care te susține în absolut orice gând și trăire, a unei familii unite și de fier. Din păcate, vremurile pe care le trăim și deteriorarea valorilor fundamentale au făcut ca familia să reprezinte pentru unii doar un mijloc de scuză sau de refugiu temporar.

Tot mai multe familii destrămate, tot mai mulți copii abandonați, tot mai multe cazuri în care tatăl nu vorbește cu fiul, mama își părăsește copiii, frații se întâlnesc prin tribunale pentru te miri ce bucată de moștenire... De ce? Din aceleași motive de când e lumea și pământul: lăcomie, egoism, răutate, lipsă de educație, într-un cuvânt, răcirea dragostei.

Nu încerca să îi schimbi pe ceilalți. Acceptă-i și iubește-i!

O primă greșeală pe care foarte mulți dintre noi o facem este să încercăm să îi schimbăm pe cei de lângă noi. Să îi modelăm așa cum ne dorim, asemenea unei bucăți de plastilină pe care o putem colora și apoi integra într-un tablou „perfect" închipuit.

Așadar, nu încercați să schimbați pe nimeni. Dacă cineva dorește să se schimbe și, mai ales, dacă va putea, o va face. Dacă nu, nu este de datoria noastră să forțăm pe nimeni. Acceptă și iubește! Necondiționat. Restul vine de la sine.

Visează!

Tu ai un vis de îndeplinit. Nimeni și nimic din lumea aceasta nu te poate opri să îl duci la bun sfârșit. Luptă pentru visul tău așa cum ai lupta pentru inima și mintea ta. Luptă pentru visul tău așa cum ai lupta pentru trupul tău, protejându-l. Luptă pentru ceea ce este mai important pentru tine și pentru ceea ce merită cu adevărat sufletul tău.

Nu ține cont de ce zic ceilalți! Ascultă-ți instinctul, vocea interioară și intră în echilibru cu ele. Cazi, dar ridică-te de fiecare data! Am învățat și am înțeles că poți ajunge în vârful unui munte pe mai multe căi. Fie ești dus în spinare, transportat de un elicopter sau pe picioarele tale, înfruntând pericolul pădurii și greutatea urcușului.

Dar ce te faci atunci când elicopterul a încetat să mai apară? Sau când spinarea celuilalt a obosit să te mai poarte? Atunci te bazezi pe forțele proprii și continui ce ai început. Satisfacțiile vor fi pe măsură. Nu te abate de la drumul tău. Va fi un drum lung, anevoios, ispititor și care îți va face multe bătături.

Ce poate fi însă mai frumos decât sentimental propriei reușite și o victorie bine meritată? În fond, este vorba despre visul tău! Nu al meu, nu al vecinului de bloc și nici al camaradului apropiat. Ci al tău! Visează, vizualizează și proiectează! Îți urez succes să ajungi acolo unde ți-ai propus. Pentru că meriți! Pentru că singurul moment când ar trebui să folosești cuvintele „nu pot!” este atunci când cineva îți spune să renunți la visurile tale!

Învață să distingi trăirile tale de ale celorlalți!

Învață să primești ce ți se dăruiește și să faci doar ce simți tu că vrei să faci! Îți faci rău permanent preluând emoțiile celorlalți! Emoțiile celorlalți sunt ale lor! Lasă-i să și le trăiască! Indiferent că tu le-ai provocat sau nu!

Trăind permanent și emoțiile celorlalți nu reușești să îți dai seama unde încep și se sfârșesc ale tale, de unde și până unde ești tu. Conflictul e permanent. Încet, încet, vei vedea că e sănătos și benefic să trăiești doar ce îți aparține. Nu poți rămâne nepăsător la suferințele semenilor, nu poți să nu te afecteze trăirile și emoțiile celor apropiați. Încearcă să-i ajuți atât cât poți, să le alini suferința. Nu te lăsa cuprins însă de emoțiile lor, fii calm, numai așa îi vei putea ajuta cu adevărat.

Prețuiește-ți persoana!

În lume poți pierde multe. Important este să nu te pierzi pe tine. Iar atunci când se întâmplă, să te regăsești. Când fericirea personală devine o prioritate, atunci vei vedea frumosul în tot și în toate. Fără a privi dintr-un resort egoist trebuie să conștientizezi că totul începe cu tine și continuă cu ceilalți. Felul în care te raportezi tu la propria persoana reprezintă oglinda perfectă a modului în care se raportează ceilalți la tine.

Bucură-te!

Am ajuns să acordăm prea multă importanță lucrurilor și prea puțină atenție sau deloc, lucrurilor ce contează cu adevărat. Am uitat să ne bucurăm de viață.

Am uitat să trăim pentru că, de multe ori, hotărâm doar să existăm. Viața înseamnă bucurie și îndeamnă la fericire. Nu uita niciodată că gesturile mici sunt responsabile pentru emoțiile puternice, iar bucuriile mari provin din lucruri simple.

Așadar, bucură-te! De absolut orice clipă trăită! De zâmbetul unui prieten drag! De râsul inocent al unui copil! De soarele dimineții! De o îmbrățișare pură! De munca ta! De telefonul unui părinte! De o carte citită în grabă! Bucură-te! De tine! De tot!

Și totuși, ce înseamnă fericirea? O întrebare care rămâne mereu pe buzele noastre. O întrebare pe care și-au pus-o toți poeții și filosofii lumii, savanții și regii, cerșetorul din colt, chelnerul care te servește amabil, șoferul de taxi, vânzătoarea de la taraba de unde îți cumperi în fiecare săptămână zarzavaturile. Nu pot să vă spun eu ce este fericirea. Mă gândesc însă ce sigur nu este. Și mai pot să vă spun ceea ce am simțit eu că este, în câteva momente din viața mea. Fericirea nu este o stare de nirvana în care, detașat de tot greul vieții, stai într-o veșnică contemplare a ființei tale, așteptând lauda și recunoștința din partea celorlalți, gâdilatul orgoliului, exacerbarea imaginii de sine și preamărirea ego-ului.

Fericirea este legată de o stare de împlinire sufletească ce vine din lucruri mărunte, bucurii simple, dar profunde și a lucrurilor bine făcute.

Fericirea este în fiecare dintre noi și toți tânjim să o descoperim! Fericirea suntem noi! Noi la un loc și fiecare dintre noi!

Îți doresc o minte ageră și lucidă, o inimă caldă și blândă și un trup voios și sănătos.

Pentru că, așa cum Ghandi spunea atât de frumos, „Fericirea este armonia dintre ceea ce gândești, ceea ce spui și ceea ce faci". Cum ajungem la acea armonie? Nu ne-a mai spus Ghandi și nici altcineva. Chiar dacă s-au scris mii de „tratate" și cărți de dezvoltare personală despre "cum să fii fericit". Cred că drumul nostru în viață este o permanentă căutare a armoniei cu noi, cu cei din jur, cu Cel care ne-a creat. De aceea cred că fiecare drum își va găsi, poate, propriul răspuns. Sau poate însuși parcurgerea drumului este răspunsul?

Fă-ți curaj!

Să spui lucrurilor pe nume. Chiar și atunci când alții și-l uită pe al lor.

Fă-ți curaj! Să spui nu atunci când trupul îți este vânat mai mult decât sufletul și da atunci când celălalt s-a descălțat înainte de a pași în inima ta.

Fă-ți curaj să spui adevărul! Chiar și atunci când minciună e mai la îndemână. Să te uiți în ochii celuilalt, fără să-l amăgești doar ca să-i sporești chinul.

Fă-ți curaj să spui un simplu „te iubesc!". Să-l și arăți. Atât în dimineți însorite cât și în după-amiezi sau seri umbrite de incertitudini.

Fă-ți curaj să spui „îmi pare rău!". Este o terapie a ființei atunci când celălalt a fost rănit de oamenii dragi.

Fă-ți curaj să întorci foaia sau chiar s-o rupi în mii de bucăți! Să le împrăștii cu seninătate peste trecutul tău! Să începi un alt capitol al inimii și al mintii, în pagini albe, nemâzgălite de cerneala suferinței.

Fă-ți curaj! Să crezi în tine și în cei pe care-i simți aproape. În cei care vor să fie cu tine și nu pe lângă tine. O mie de măști fermecătoare nu fac cât un chip ce-ți caută inima.

Fă-ți curaj să îmbrățișezi! Și fă-o des! Să simți cum două trupuri lin se contopesc în mirosul ploii. Ca două picături de lacrimă ce nu se despart atunci când cad încet și-ți gâdilă pielea încinsă de dor.

Fă-ți curaj! Să te îndrăgostești din nou. Să simți că-și vine să plutești în alte brațe sau pe alte buze. Ce poate fi mai frumos de atât? Doar voi!

Fă-ți curaj să fii tu! E poate cel mai greu în lumea asta. Să fii recunoscut chiar și atunci când lumea vrea să te înghită. Să fii de neclintit atunci când ceilalți încearcă să te schimbe.

Fă-ți curaj să iubești din nou oamenii!

Când nu îți mai găsești fericirea... ea e aici!

Când îți este dor de cineva drag... închide ochii și sărută-ți mâinile. Îl vei vedea și îl vei simți prin porii ce ți se deschid. Prin pielea ce respiră a viață. Zâmbește!

Când nu îți mai găsești liniștea... liniștește-te! Închide ochii și plimbă-te agale prin gândurile tale infinite. Iar dacă suspini, poți chiar să plângi. Căci nu e rușinos s-o faci. Sunt lacrimi ce alină și te mângâie. Atât de ușor îți curg peste obraji.

Când crezi că ai pierdut speranța... închide ochii! Cheam-o înapoi! Ea nu a plecat departe. Tu ai plecat. De lângă ea. Sau poate nu ai pierdut-o niciodată. Doar ai lăsat durerea să apese o rană ce încă nu s-a vindecat.

Când crezi că nu-ți găsești iubirea... închide ochii! Atinge stele! Îndreptă-ți pașii tăi spre sufletul pereche! Căci doar așa îl vei primi în viața ta. Tăcere.

Când crezi că totul e pierdut... închide ochii! Adună-te din valul înspumat de negru. Iubește-te ca la o primă întâlnire. Cu tine. Respiră și mulțumește că ești încă printre oameni. Tu ești iubire!

Când nu îți mai găsești drumul, continuă să mergi!

Oamenii trăiesc cu speranța. Unii o poartă la piept, așa cum îndrăgostiții își poartă fiorii unui nou început. Alții o poartă la buzunar. Precum un ceas ruginit ce a uitat să mai sune la ore exacte. Să ne trezească din amorțeala trupului și a simțurilor. Ca un vânt rece ce îngheață silabele la mijlocul buzelor tremurânde.

Speranța moare ultima! Numai dacă nu o ucidem noi, din începuturi. Să trăiești cu speranța nu înseamnă nimic atunci când nu miști un deget în direcția potrivită. De cele mai multe ori, arătăm cu el înspre ceilalți. Ne-am obișnuit să cerem, fără să oferim nimic. Un joc dezechilibrat în care regulile sunt încălcate încă de la prima rundă. Așteptăm minuni, fără să credem, cu adevărat, în ele. Așteptăm bani, fără a pune la încercare o minte ce ar putea să îi facă. Așteptăm schimbări în ceilalți, fără a ne schimba, ma întâi, pe noi înșine. Așteptăm o iubire necondiționată, condiționându-i pe cei de lângă noi. Așteptăm să fim fericiți, fără a înțelege că fericirea nu e o stare pasivă.

A fi fericit înseamnă a trăi mai mult, a exista...mai puțin! A fi fericit înseamnă a înfăptui. Zi de zi și clipă de clipă. E un full time job. Atunci când mintea și inima lucrează împreună și se întâlnesc în suflet.

Nimeni nu o să facă în locul tău ceea ce tu trebuie să faci încă de la prima mișcare de pleoape. Nici anul acesta, nici anul viitor și nicicând.

Tot ce n-ai făcut anul trecut, fă astăzi!

Tot ce n-ai fost anul trecut, fii astăzi!

Tot ce n-ai iubit anul trecut, iubește acum!

Pentru că o nouă zi înseamnă un an nou și o nouă viața. S-o facem să merite!

Să avem o viață mai bună? Nu! Să ne-o facem!

De câte ori poți iubi într-o viață? Unii spun că o dată și bine. Alții spun că nu iubim deloc, ci doar proiectăm asupra celorlalți dorințele noastre și ne alimentăm continuu și iluzoriu cu ele. Iar eu spun că e o prostie. Iubirea există. O simți prin toți porii și prin toate cătunele ființei. Îi simți căldura și amprenta atunci când două mâini te pictează în povești pe care le păstrezi în suflet. Povești pe care le poți spune mai departe.

Sunt cele mai frumoase întâmplări de viață. Apar în cele mai neașteptate clipe ale sufletului și te marchează așa cum o pictură se imprimă în inima celui care a închipuit-o. Precum o carte ce o scrii mai întâi în ființă și mai apoi o așezi pe hârtie. Aceleași pagini pe care le întorci în liniște.

Iubirea există. La 20, la 40 și chiar la 90 de ani. Se spune că la 20 e ca un uragan al simțurilor. Un abis de emoții împrăștiate-n tine și în celălalt. Un carusel nebun ce nu se-oprește decât atunci când ambii parteneri sunt amețiți de-a binelea. O încununare apoteotică a tinereții. La 40 de ani e ca o carte pe care ai citit-o de mai multe ori și-ai înțeles-o. Un abecedar al literelor ce se recompun senin sub semnul vostru. La 90 e multă liniște și împăcare. E ca un zid indestructibil. E marea ce nu poate fără valuri. Sunt valurile ce nu pot fără nisip. E un nisip atât de fin ce nu ar rezista fără de soarele ce-l încălzește.

Un El și o Ea ce nu mai pot fi închipuiți decât împreună. Chiar dacă unul dintre ei s-a dus... să moară puțin.

Câți dintre noi putem trăi prezentul? Fără umbrele lui ieri și fără speranța lui mâine. Câți dintre noi putem trăi frumos? Fără a ne gândi la ce vom avea de iubit sau de făcut, ci mai mult la ce avem acum de făcut și la oamenii pe care am uitat să îi iubim printre două picături de ceartă.

Câți dintre noi ajungem să îmbrățișăm în gând oameni ce ne-au fost aproape? La bine și la rău. Căci nu există rău mai mare decât cel pe care ni-l facem noi înșine. Precum o oglindă a sufletului ce ne arată mereu ceea ce suntem, cu adevărat. De cele mai multe ori, ne supărăm pe oglindă în loc să ne iubim mai mult.

Câți dintre noi mai spunem te iubesc? Dar nu atunci când totul merge bine. Și poate nici atunci când este rău. Un te iubesc venit la timpul potrivit. Un te iubesc ce schimbă inimi. Precum macazul ce se schimbă pentru același tren ce nu dorește să își schimbe ruta.

Câți dintre noi mai credem în minuni? Căci viața este o minune. Iar noi când ne trezim, sclipirea ei.

Viața merită trăită. Cu bune și cu rele. Cu umbrele și visele ei. Nu este important că respirăm. Important este cum o facem. Toți existăm, puțini trăim cu adevărat. Cu toții ne îndrăgostim. Puțini ajungem să iubim. La final de zi, important este ce lăsăm în urmă.

Visează, iubește și iartă! Întâlnește-te cu oameni dragi pe care nu i-ai mai văzut de multă vreme.

Spune și fă ceea ce simți. Întotdeauna. Pune mâna pe telefon și sună. Pune-te pe mașină și vizitează-ți rudele și prietenii. Îmbrățișează-ți sufletul pereche și spune-i cât de mult îl iubești. Mulțumește-i lui Dumnezeu că ești aici.

Mâine nu există. Există numai azi. Nimic nu ne aparține. Nimic.

Pentru că astăzi suntem veseli, iar mâine... praf de stele!

Viața merită trăită.
Cu bune și cu rele.
Cu umbrele și visele ei.
Nu este important că respirăm.
Important este cum o facem.

Toți existăm, puţini trăim cu adevărat. Cu toţii ne îndrăgostim. Puţini ajungem să iubim. La final de zi, important este ce lăsăm în urma noastră. Întâlneşte-te cu oameni dragi pe care nu i-ai mai văzut de multă vreme. Spune şi fă ceea ce simţi, întotdeauna. Pune mâna pe telefon şi sună. Pune-te pe maşină şi vizitează-ţi rudele şi prietenii. Îmbrăţişează-ţi sufletul pereche şi spune-i cât de mult îl iubeşti. Mulţumeşte-i lui Dumnezeu că eşti aici. Mâine nu există. Există numai azi. Nimic nu ne aparţine. Nimic. Pentru că azi suntem veseli, iar mâine... praf de stele. Visează, iubeşte şi iartă!

CAPITOLUL VI

PURGATORIUL IUBIRII

Tânjim toată viața după iubire, o căutăm, o idealizăm și, de multe ori o profanăm, ne-o dorim și ne temem de ea, o detestăm sau o idolatrizăm, încercăm să o înțelegem și ne încurcăm în explicații puerile, credem că am descoperit-o, când ea, de fapt, ne-a descoperit nepregătiți, încercăm să o uităm când simțim că ne devorează toată ființa, ne ascundem de ea când începe să ne bată la ușă sau o căutăm acolo unde nu a existat niciodată, ne amăgim că iubim când doar ne lăsăm iubiți, uităm să ne iubim pe noi când ne lăsăm mințiți, în numele iubirii, iubim iluzii sau devenim noi înșine iluzii pentru cei din jur. Credem că am găsit frumusețea în pustiul urâciunii sufletești sau ne urâțim prin tot felul de măști înfrumusețate, pierdem iubirea din cauza orgoliilor și traversăm însingurați propriul neant, pentru a descoperi plenitudinea în ființa celuilalt sau ne zdruncinăm echilibrul sufletesc în întâlniri fugare, efemere.

Credem că am descoperit paradisul și ne trezim în iadul neputinței de a iubi, ne izgonim singuri din edenul fericirii, încălcând porunca iubirii și ne rătăcim în încercări disperate de a regăsi drumul spre celălalt și spre noi. Ne mințim pe noi înșine mințindu-l pe celălalt și ne lăsăm ademeniți de promisiunile mincinoase ale idolatriei. Navigăm pe marea iubirii, purtați de valurile tinereții și naufragiem izbindu-ne de iceberg-ul unor suflete pierdute... De ce? Se spune că iubirea este o deplasare continuă dinspre ființa noastră înspre celălalt, o iradiere sufletească a îndrăgostitului înspre cel iubit, o dorință de împlinire proiectată în celălalt. Dacă iubirea este un drum spre sufletul celuilalt, înțelegem că orice drum poate să aibă și obstacole, de multe ori ne împiedicăm de noi înșine, de întunericul din noi sau de incapacitatea celuilalt de a ne călăuzi spre inima lui, de teama de a nu părea ridicoli, de vulgaritate sau de convenții sociale.

Dacă iubirea este o proiecție a minții, ea poate să însemne o simplă amăgire prin capacitatea noastră de autoiluzionare. Ne amăgim că iubim, când doar fugim de singurătate, ne amăgim că suntem iubiți când ne lăsăm doar folosiți, ne amăgim că-l înțelegem pe celălalt, când nu ne înțelegem nici pe noi, ne amăgim că suntem fericiți, când tăcerea goală s-a așternut între noi. Ne amăgim că stăpânim limbajul iubirii, când nu mai avem ce să ne spunem sau când cuvintele nu mai ating coardele sufletului, iar mângâierile se transformă în stridențe și reproșuri.

Se mai spune că adevărata iubire este cea care dăinuie în timp, dar de atâtea ori nu ne mai facem timp pentru iubire, o disecăm în secundele pulsului sau o amânăm într-un alt timp, nedefinit, pe care nu știm dacă îl vom mai întâlni...Credem că celălalt poartă vina propriilor patimi, complexe și neputințe și ne proiectăm nemulțumirea într-o oglindă murdară în care nu ne recunoaștem sau îl vedem doar pe cel de lângă noi. Și totuși, iubirea există, atât în noi cât și în ceilalți, doar când vom înțelege că ea trebuie hrănită, îngrijită ca o plantă prețioasă și rară, când vom ști să o ferim de întunericul indiferenței și să o udăm cu roua lacrimilor, când vom plivi toate buruienile care încearcă să o sugrume, să o vlăguiască de sevă, vom simți cum va crește în noi, inundându-ne întreaga ființă cu lumină, lumina necreată a începutului. Vom simți cum ieșim din iadul deznădejdii și al urii numai când vom lăsa această forță primordială a universului să ne spele zgura patimilor, să ne topească ghețarii minții și să ne înflorească tandrețea, să ne deschidă petalele sufletului și să ne modeleze precum un sculptor mângâie piatra care ascunde culorile și formele lăsate acolo de mâna nevăzută a creatorului. Când credem că am pierdut iubirea, când nu ne mai recunoaștem în celălalt speranța și ne zbatem în iadul singurătății, de-abia atunci începem să înțelegem cum rodul suferinței este o regăsire a noastră și a celorlalți.

Se spune că nu există dragoste fără suferință și că această suferință sufletească nu poate fi vindecată niciodată. Poate că este adevărat, atât timp cât așteptările noastre sunt proiectate în exterior, când ne simțim trădați, înșelați, revoltați și dorim cu toată ființa ca această situație să se schimbe, să primim cât am investit, să fim iubiți atât sau așa cum credem că am iubit. „Spune-mi cum iubești, ca să-ți spun cine ești"! Un suflet rănit simte o nevoie acută, sfâșietoare de vindecare, vindecare pe care o dorește fie prin uitarea celui care l-a rănit, fie prin întoarcerea acestuia la așteptările pierdute. Alteori, o iubire înșelată se poate transforma în ură, în dorința de răzbunare, de distrugere a celui care ne-a rănit și atunci apare întrebarea : a existat oare iubire sau doar o dorință de posesie a celuilalt?

Izvorul iubirii, dar și al suferinței din dragoste nu se află în afara noastră, iubirea adevărată se află în noi, este o stare de pace, de dăruire și de iertare, de aceea nu ne vom găsi niciodată vindecarea și fericirea în altul, ci în starea lăuntrică. Când vom reuși să dăruim ceea ce așteptăm, vom intra într-o stare de purificare, într-un proces minunat, fascinant și ireversibil de vindecare, chiar dacă vindecarea presupune suferință. Iubind dincolo de așteptări și fără ele vom cunoaște sursa iubirii în noi. Iubirea cu care iubim noi înșine e o trăire dincolo de cuvinte, care înțelege și poate ierta, care poate privi lumea cu ochii compasiunii. Suferința din dragoste e o etapă de vindecare, numai după ce o vom depăși, iubind fără așteptări, fără revendicări și pretenții, vom simți că ne-am vindecat sufletul și că mai putem să iubim.

Fără să mă refer acum la iubirea perfectă a mamei pentru copilul ei, trebuie să știm că există oameni care iubesc o viață întreagă în tăcere, cu o discreție aproape perfectă, fără ca cel iubit să afle vreodată sau, pur și simplu, fără reproșuri și pretenții. Se numește aceasta o iubire neîmplinită? Cu siguranță, nu! Există oameni care sunt fericiți numai prin simplul fapt că iubesc, fără să ceară nimic, fără măcar să spere, păstrând cu delicatețe și sfială sentimentul de îndrăgostire toată viața. Poate că este puțină nebunie în acest fel de a iubi, este însă o formă sublimă de nebunie, o stare de grație unică pe care doar unora dintre noi le este dat să o păstreze toată viața, cei care au reușit să renunțe total la ideea de posesie care există, într-o măsură mai mică sau mai mare, în celelalte forme de iubire. Nu putem să iubim toți la fel, cei mai mulți dintre noi ne dorim o iubire împărtășită, există însă și oameni care reușesc să fie fericiți doar dăruind iubire, ceea ce se întâmplă rar, extrem de rar! Vârstele dragostei cresc diferit în fiecare din noi, important este să depășim simpla nevoie de a fi iubiți cu dorința sinceră și plenară de a iubi, atunci vom fi cu adevărat fericiți!

Dacă încă mai crezi în Dumnezeu, în drumul tău nu vei fi niciodată singur.

Dacă încă mai crezi în miracole, află că cea mai mare minune este viața, iar iubirea ta pentru oameni, haina ce o îmbracă.

Dacă încă mai crezi în oameni, oamenii pe care îi doreai vor apărea în viața ta când te aștepți mai puțin.

Dacă încă mai crezi în bine, vei putea vedea lumina chiar și în cel mai întunecat colț al sufletului, în tot ce-ți va aduce viața.

Dacă încă mai crezi în smerenie, nu îți vei uita niciodată locul în drumul tău spre fericire.

Dacă încă mai crezi în fericire,
vei gusta și te vei înfrupta din ea,
împărțind-o cu ceilalți.

Dacă încă mai crezi în
sinceritate, vei vedea frumosul în
tot și în toate.

Dacă încă mai crezi în vise,
nopțile tale vor fi mângâiate
aievea.

Dacă încă mai crezi în
sinceritate, mintea și inima ta
vor fi într-un echilibru aproape
perfect, iar trupul curat și drept.

Dacă încă mai crezi în prietenie,
zilele îți vor fi îndulcite de
prezența ei.

Dacă încă mai crezi în inocența
copiilor, nu vei uita niciodată
copilul frumos din tine.

Dacă încă mai crezi în pasiune, cuvintele și faptele tale vor străluci ca diamantul timpurilor.

Dacă încă mai crezi în simplitate, te vei putea bucura de lucrurile mărunte, dar importante din viața ta.

Dacă încă mai crezi în prezent, vei învinge fantomele trecutului și te vei înălța în viitor.

Dacă încă mai crezi în Iubire, ești cel mai norocos suflet de pe pământ.

Dacă încă mai crezi în tine, ai biruit lumea!

Să te îndrăgostești de cineva este un test al inimii. Să te îndrăgostești de aceeași persoană este adevăratul test al dragostei.

Alexandru Ciocan[illegible]

Rai și Iad în Iubire/ *Alexandru Chermeleu*
Timișoara: Stylished 2017
ISBN: 978-606-94540-2-2

Editura STYLISHED
Timișoara, Județul Timiș
Calea Martirilor 1989, nr. 51/27
Tel.: (+40)727.07.49.48
www.stylishedbooks.ro

Corectură, redactare și restilizare: Oana Călin

Editarea grafică a fost realizată în parteneriat cu

BADesign Studio

www.badesign.ro